Júlio Verne
VINTE MIL LÉGUAS SUBMARINAS

CONHEÇA NOSSOS LIVROS
ACESSANDO AQUI!

Copyright da tradução e desta edição ©2021 por Fabio Kataoka

Título original: Vingt Mille Lieues Sous les Mers
Textos originais de domínio público. Reservados todos os direitos desta tradução e produção.

Direitos reservados e protegidos pela lei 9.610 de 19.2.1998.
Nenhuma parte deste livro pode ser reproduzida, arquivada em sistema de busca ou transmitida por qualquer meio, seja ele eletrônico, xérox, gravação ou outros, sem prévia autorização do detentor dos direitos, e não pode circular encadernada ou encapada de maneira distinta daquela em que foi publicada, ou sem que as mesmas condições sejam impostas aos compradores subsequentes.
2ª Impressão em 2022

Presidente: Paulo Roberto Houch
MTB 0083982/SP

Editora: Priscilla Sipans
Projeto gráfico: Rubens Martim
Capa: Rubens Martim
Imagens de capa: Shutterstock
Tradução, revisão e preparação de texto: Fabio Kataoka
Diagramação: Rogério Pires

Vendas: Tel.: (11) 3393-7727 (comercial2@editoraonline.com.br)

Impresso no Brasil.
Foi feito o depósito legal.

Direitos reservados ao
IBC – Instituto Brasileiro de Cultura LTDA
CNPJ 04.207.648/0001-94
Avenida Juruá, 762 – Alphaville Industrial
CEP. 06455-010 – Barueri/SP
www.editoraonline.com.br

Sumário

Introdução 7

Primeira Parte: O HOMEM DAS ÁGUAS

Capítulo 1 Um estranho recife 10

Capítulo 2 Pró e contra 11

Capítulo 3 Como o senhor quiser! 12

Capítulo 4 Ned Land 14

Capítulo 5 Às cegas 16

Capítulo 6 A todo vapor 17

Capítulo 7 Uma baleia de espécie desconhecida 22

Capítulo 8 *Mobilis in mobile* 25

Capítulo 9 A fúria de Ned Land 27

Capítulo 10 O homem das águas 30

Capítulo 11 O Náutilus 35

Capítulo 12	Tudo pela eletricidade	36
Capítulo 13	Alguns dados	39
Capítulo 14	A corrente do rio Negro	43
Capítulo 15	Um convite por carta	44
Capítulo 16	Passeio na planície	47
Capítulo 17	Uma floresta submarina	50
Capítulo 18	Sob o Pacífico	53
Capítulo 19	Vanikoro	56
Capítulo 20	O estreito de Torres	60
Capítulo 21	Alguns dias em terra	64
Capítulo 22	O raio do capitão Nemo	65
Capítulo 23	*Aegri somnia*	69
Capítulo 24	O reino do coral	72

Segunda Parte: O FUNDO DO MAR

Capítulo 1	O Oceano Índico	77
Capítulo 2	Nova proposta do capitão Nemo	81
Capítulo 3	Uma pérola de 10 milhões	86
Capítulo 4	O Mar Vermelho	93

Capítulo 5	O Túnel Árabe	98
Capítulo 6	O arquipélago grego	102
Capítulo 7	O Mediterrâneo em 48 horas	107
Capítulo 8	A baía de Vigo	111
Capítulo 9	O continente desaparecido	117
Capítulo 10	Minas de carvão submarinas	121
Capítulo 11	O mar de sargaços	123
Capítulo 12	Cachalotes e baleias	126
Capítulo 13	O gelo	130
Capítulo 14	O polo sul	133
Capítulo 15	Acidente ou incidente?	139
Capítulo 16	Falta de ar	141
Capítulo 17	Do Cabo Horn ao Amazonas	145
Capítulo 18	Os polvos	147
Capítulo 19	A corrente do Golfo	154
Capítulo 20	A 47°24' de latitude e 17°28' de longitude	162
Capítulo 21	Hecatombe	166
Capítulo 22	As últimas palavras do capitão Nemo	171
Conclusão		176

Introdução

Uma criatura gigantesca aterrorizava os mares na metade do século XIX. Muito maior e mais rápida do que uma baleia, tinha forma cilíndrica e era brilhante.

O professor Aronnax, um naturalista francês, seu criado Conselho e um canadense arpoador de baleias chamado Ned Land saem à caça da misteriosa criatura, em um navio americano, o Abraham Lincoln.

Em confronto com a tal criatura, a embarcação naufraga e os três são atirados ao mar, onde são resgatados pelo capitão Nemo em seu submarino Náutilus.

A bordo do Náutilus se passa uma das mais incríveis aventuras de todos os tempos, a obra-prima de maior sucesso de Júlio Verne: *Vinte mil léguas submarinas*.

PRIMEIRA PARTE:

O HOMEM DAS ÁGUAS

Capítulo 1
Um estranho recife

O ano de 1866 foi marcado por um acontecimento extraordinário. Há algum tempo muitos navios vinham encontrando nos mares "uma coisa enorme", um objeto comprido, em forma de fuso, às vezes brilhante, muito mais corpulento e rápido do que uma baleia. Os relatos sobre esses encontros, registrados nos diários de bordo, coincidiam perfeitamente nos pormenores da estrutura do objeto ou do ser em questão. Destacavam a espantosa velocidade de sua movimentação, a surpreendente força de deslocação e falavam da vida especial que ele parecia possuir.

Negociantes, armadores, capitães de navios, mestres e contramestres da Europa e da América, oficiais das marinhas de guerra de todos os países e os governantes das diversas nações dos dois continentes, andavam seriamente preocupados com o fenômeno. Que ele existia era um fato incontestável. Com o pendor do cérebro humano para o maravilhoso, é fácil compreender a sensação causada no mundo todo por esse fenômeno sobrenatural.

No dia 20 de julho de 1866, o vapor Governador Higginson se deparou com o objeto estranho, a oito quilômetros a leste das costas da Austrália. À primeira vista o capitão Baker julgou ter visto um recife desconhecido. Pretendia determinar a sua situação exata, quando duas colunas de água, projetadas pelo inexplicável objeto, ergueram-se nos ares a quase vinte metros de altura. Portanto, a menos que o recife estivesse sujeito às erupções intermitentes de um gêiser, o Governador Higginson tinha se encontrado com algum mamífero aquático, até então desconhecido, que expelia pelas ventas colunas de água misturada com vapor e ar. Três dias depois, no Pacífico, foi observado fato semelhante pelo navio Cristobal Colon.

Esse extraordinário cetáceo podia deslocar-se de um lugar para o outro com uma velocidade surpreendente, uma vez que, com um intervalo de dois dias, os navios o tinham visto em dois pontos geográficos afastados entre si em torno de quatro mil quilômetros.

Exatamente duas semanas depois, a onze mil quilômetros de distância, o Helvétia e o Shannon, cruzando-se na zona do Atlântico compreendida entre os Estados Unidos e a Europa, informaram um ao outro que avistaram o monstro a 42° 15' de latitude norte e 60° 35' de longitude do meridiano de Greenwich. A partir dessa observação simultânea, foi possível avaliar o comprimento mínimo do mamífero em mais de cento e seis metros, uma vez que o Shannon e o Helvétia eram de dimensões inferiores a ele, embora medissem cem metros da proa à popa.

Todas as notícias divulgadas seguidamente, somadas às observações feitas de bordo do transatlântico Pereire, um abalroamento entre o Etna da linha Iseman e o monstro, além de um relato verbal feito pelos oficiais da fragata francesa Normandie e a comprovação feita por oficiais do Comodoro Fitzjames de bordo do Lord Clyde, abalaram profundamente a opinião pública.

Quase um ano depois, em 5 de março de 1867, o Moravian, da Montreal Ocean Co., estando a 27º 30' de latitude e a 72º15' de longitude, abalroou a estibordo com um rochedo não assinalado em qualquer mapa daquelas paragens. Com o esforço combinado do vento e dos seus quatrocentos cavalos-vapor, ele avançava a uma velocidade de treze nós. Não há dúvida de que se não fosse a qualidade superior do seu casco, o Moravian, que foi arrombado com o choque, teria sido engolido pelas águas com os seus duzentos e trinta e sete passageiros.

Em 13 de abril de 1867, com o mar calmo e o vento propício, o Scotia encontrava-se a 15º 12' de longitude e 45º 37' de latitude. Às quatro horas e dezesseis minutos da tarde, durante o lanche dos passageiros, sentiu-se um choque ligeiro no casco do navio, de lado e um pouco atrás da roda de bombordo. O Scotia não foi abalroado, mas tinha sido tocado por um grande objeto cortante. Apesar da pancada ter sido leve, os marinheiros do porão entraram em desespero. Eles subiram ao convés e gritaram que estava entrando água no navio.

Os passageiros ficaram apreensivos, mas logo o capitão Anderson os tranquilizou, explicando que não havia perigo iminente. Afinal, o Scotia poderia até sofrer um rombo no casco sem grande perigo de se afundar. Realmente, o navio continuou navegando e chegou ao porto de Liverpool com três dias de atraso. Os engenheiros verificaram que a dois metros e meio abaixo da linha de flutuação, havia um rombo em forma de triângulo isósceles. O corte na chapa metálica era perfeitamente nítido e não teria sido mais bem executado por um instrumento apropriado para tal fim.

Novamente, a opinião pública ficou estarrecida com esse acontecimento. Na realidade, a partir desses incidentes, todos os desastres marítimos cujas causas se desconheciam passaram a ser atribuídos ao monstro. As navegações entre os diversos continentes tornaram-se cada vez mais perigosas, a ponto de o público exigir categoricamente que os mares fossem libertados a todo custo desse terrível cetáceo.

Capítulo 2

Pró e contra

No período em que esses fatos ocorreram, regressava eu de uma expedição científica nas inóspitas terras do Nebraska, nos Estados Unidos. Ao chegar a Nova York para embarcar em um navio que me levasse para a Europa, a controversa questão estava no auge. Tanto assim que várias pessoas me consultaram sobre o fenômeno, em vista de uma obra que eu havia publicado na França, intitulada *Os Mistérios dos Grandes Fundos Submarinos*. O acontecimento passou a preocupar várias camadas da população americana, e os Estados Unidos foram o primeiro país a adotar medidas enérgicas, no âmbito governamental, para esclarecer o mistério.

Júlio Verne

A fragata Abraham Lincoln, moderna e muito rápida, recebeu ordens para se lançar ao mar o mais depressa possível, com esse objetivo. O comandante Farragut reforçou o armamento de seu navio e encheu de munição os seus arsenais.

Como das outras vezes, assim que foi decidida a perseguição ao monstro, ele sumiu. Durante dois meses ninguém ouviu falar dele. A fragata armada e abastecida para uma busca demorada, não tinha para onde se dirigir. A impaciência crescia a bordo entre oficiais e marinheiros, quando chegou a notícia de que um vapor da linha de São Francisco da Califórnia tinha avistado o animal nos limites setentrionais do Pacífico.

A notícia do reaparecimento do monstro aguçou o movimento da expedição. Os víveres continuavam a bordo, os depósitos de carvão estavam cheios e todos os homens estavam em seus postos. Só faltava acender as caldeiras da fragata e levantar ferro. Em menos de vinte e quatro horas o capitão Farragut lançava-se ao mar.

Três horas antes da Abraham Lincoln deixar o cais do Brooklyn, recebi uma carta do secretário da Marinha J. B. Hobson, que, em nome de seu governo, convidava-me para representar a França participando daquela expedição.

Capítulo 3
Como o senhor quiser!

Exatamente três minutos depois de ter lido a carta do ilustre secretário da Marinha, caçar aquele monstro inquietante e livrar os mares de sua constante ameaça tornou-se o único propósito de minha vida. A oportunidade de participar daquela caçada me motivou a enfrentar esse desafio, embora precisasse de repouso.

Pretendia rever o meu país, os meus amigos, o meu pequeno apartamento do Jardim Botânico, em Paris, as minhas preciosas coleções. Mas nada me detêve. Esqueci tudo: cansaço, amigos, conforto, e aceitei, sem mais reflexões, a oferta do governo americano.

– Conselho! – chamei com voz impaciente.

Conselho era o meu criado. Tratava-se de um rapaz dedicado que me acompanhava em todas as minhas viagens, apto para todo o serviço e que, apesar do seu nome, nunca dava conselhos mesmo quando não lhe eram pedidos. Era uma excelente e honesta criatura.

– Conselho! – chamei-o de novo, começando os meus preparativos para a viagem, com grande agitação – Prepare-se, meu rapaz, partimos dentro de duas horas.

– Vamos para Paris? – perguntou.

– Sim, certamente... mas dando uma volta primeiro – respondi.

– Daremos a volta que o senhor quiser – concordou o criado.

– Não será uma grande volta. Trata-se de um caminho menos direto.

Vamos embarcar na Abraham Lincoln.

– Se é a sua decisão, para mim é a melhor, senhor – disse.

– Vou dizer a verdade, meu rapaz. Trata-se do monstro marinho. Vamos livrar os mares da sua presença. O autor de uma obra importante, sobre os Mistérios dos Grandes Fundos Submarinos, não poderia deixar de embarcar com o capitão Farragut. Missão gloriosa, mas perigosa também. Não sabemos para onde vamos. Esses animais são seres caprichosos. Mas, ainda assim, vamos. Temos um comandante que não tem medo de nada.

– O que o senhor fizer, eu também farei – disse.

Quinze minutos depois, as nossas malas estavam prontas. Rapidamente chegamos ao cais. As chaminés da Abraham Lincoln soltavam na atmosfera torrentes de fumaça negra. Subimos a bordo e um dos marinheiros conduziu-nos ao tombadilho. Conselho caminhou para a amurada e eu fui levado à presença de um oficial de aspecto agradável, que me estendeu a mão:

– Sr. Pierre Aronnax? – perguntou-me.

– O próprio – respondi. – O comandante Farragut?

– Em pessoa. Seja bem-vindo, senhor professor.

Ao fim dos cumprimentos de praxe deixei o capitão entregue ao seu trabalho e fui para a cabina que me estava reservada. A arrumação interior da fragata correspondia às suas qualidades náuticas. Fiquei muito satisfeito com o meu alojamento, situado à ré e comunicando-se com a sala dos oficiais. Deixei que o Conselho arrumasse convenientemente as nossas coisas e subi à cobertura a fim de assistir aos preparativos da partida.

Às oito horas da noite, navegávamos a todo vapor nas sombrias águas do Atlântico.

Capítulo 4

Ned Land

Incrivelmente o comandante Farragut era um marinheiro muito experiente, digno da fragata que dirigia. Navio e comandante eram um só, sendo este a alma daquele. Sobre a existência real do cetáceo gigante, o comandante Farragut não tinha a menor dúvida, e não permitia que os seus homens pensassem diferente dele.

A tripulação observava os mares com rigoroso cuidado. Cada homem queria ganhar a soma de dois mil dólares prometida para aquele que, grumete ou marinheiro, mestre ou oficial, avistasse o monstro primeiro. Por isso, todos ficavam atentos a bordo da Abraham Lincoln. A fragata dispunha de todos meios de destruição. Além disso, fazia parte da tripulação Ned Land, homem conhecido como o rei dos arpoadores.

Ned Land era um canadense de rara destreza, sem rival no seu perigoso trabalho. Agilidade e sangue-frio, audácia e esperteza eram qualidades que ele possuía em elevado grau, e seria preciso uma baleia muito manhosa ou um cachalote muito astucioso para escapar ao seu arpão.

No entanto, ele era o único homem a bordo que não acreditava na existência do fabuloso cetáceo, deixando de participar da convicção geral. Resolvi conversar com ele sobre o assunto.

Na noite de 30 de julho, ou melhor, três semanas depois de nossa partida de Nova York, estava a fragata nas alturas do cabo Branco, cinquenta quilômetros a sotavento das costas da Patagônia. Ultrapassamos o Trópico de Capricórnio e o Estreito de Magalhães ficava a mais de mil e duzentos quilômetros para o sul. Dentro de oito dias, a fragata navegaria em águas do Pacífico.

– Ned, como pode ter certeza de que o narval que vamos caçar não existe? Tem razões particulares para proceder assim?

O arpoador olhou-me durante alguns instantes em silêncio, bateu na testa com a mão, gesto que lhe era peculiar, fechou os olhos como que para refletir, e disse:

– É possível que eu tenha, Sr. Aronnax.

– Entretanto, você que é baleeiro há tantos anos, que está familiarizado com os grandes mamíferos marinhos, e cuja imaginação deve facilmente aceitar a existência de enormes cetáceos, devia ser o último a duvidar em tais circunstâncias.

– Aí que se engana, professor – disse Ned. – Que o vulgo acredite em meteoros deslumbrantes que cruzam o espaço ou na existência de dinossauros pré-históricos que vivem no interior da terra, ainda se aceita. Mas nem o astrônomo nem o geólogo admitem tais devaneios. Com o baleeiro acontece o mesmo. Persegui e arpoei numerosos cetáceos, matei vários, mas por mais bem armados e possantes que fossem, não possuíam caudas ou dentes capazes de furar as placas de aço de um navio.

– Contudo, Ned, fala-se do casco de barcos que foi perfurado de lado a lado pelo dente do narval.

– Navios de madeira talvez – respondeu o canadense. – Mas mesmo nesse caso, jamais vi um narval capaz dessas proezas. Portanto, até provas em contrário, nego em absoluto que baleias, cachalotes ou narvais possam produzir tais estragos.

– Escute-me, Ned...

– Não, professor, não. Tudo o que quiser, menos isso. Talvez um polvo gigante...

– Isso ainda menos, Ned! O polvo não passa de um molusco, e o próprio nome indica a pouca consistência das suas carnes. Mesmo com todo o seu grande comprimento, o polvo, que não pertence ao ramo dos vertebrados, seria inofensivo para navios como o Scotia ou esta fragata em que viajamos.

– Então, Sr. Aronnax – replicou ele, num tom bastante irônico – persiste em admitir a existência de um enorme cetáceo?

– Sim, Ned, e com uma convicção baseada na lógica dos acontecimentos. Acredito na existência de um mamífero desmesuradamente desenvolvido, pertencente ao ramo dos vertebrados, como as baleias, os cachalotes ou os golfinhos, armado de um dente córneo de grande poder de penetração.

– Hum! – expressou o arpoador, abanando a cabeça com o ar de um homem que não se quer deixar convencer.

Diante de tanta resistência, naquele dia parei de insistir e argumentar com ele.

Capítulo 5
Às cegas

A fragata percorreu a costa sudoeste da América com uma rapidez incrível. No dia 3 de julho estávamos na entrada do estreito de Magalhães, perto do cabo das Virgens. O comandante Farragut não quis atravessar esta sinuosa passagem e manobrou de forma a dobrar o cabo Horn.

Por volta das três horas da tarde do dia 6 de julho, a Abraham Lincoln, vinte e cinco quilômetros para o sul, dobrou essa ilhota solitária, esse rochedo perdido no extremo do continente americano, ao qual alguns marinheiros holandeses deram o nome da sua cidade natal, o cabo Horn. Rumamos para noroeste e no dia seguinte a hélice da fragata batia finalmente nas águas do Oceano Pacífico.

Assim como todos redobraram as atenções, também partilhei da emoção dos oficiais e da tripulação cada vez que alguma baleia emergia o dorso escuro à tona da água. A cobertura da fragata enchia-se de gente num piscar de olhos. Todos, com os peitos ofegantes e os olhares ansiosos, observavam a marcha do cetáceo. Eu olhava e tornava a olhar até gastar a retina ou ficar cego, enquanto Conselho, sempre muito paciente, dizia-me num tom calmo:

– Se o senhor não arregalasse tanto os olhos, talvez visse melhor.

Infelizmente, vãs esperanças! A fragata aumentava a velocidade e perseguia o animal marcado, que não passava de uma simples baleia ou cachalote, que em breve desaparecia no meio de tanto mistério.

No dia 20 de julho atravessamos o Trópico de Capricórnio a cento e cinco graus de longitude e, no dia 27 do mesmo mês, chegamos ao Equador pelo meridiano cento e dez. Depois a fragata rumou diretamente para oeste e entrou nos mares centrais do Pacífico.

Segundo o comandante Farragut, era preferível navegar em águas profundas e afastar-se dos continentes e das ilhas, que o animal parecia ter sempre evitado, "sem dúvida porque as águas não eram suficientemente profundas para ele", explicava o mestre da tripulação. A fragata passou, portanto, ao largo das Pomotu, das Marquesas, das Sandwish, passou o Trópico de Câncer a cento e trinta e dois graus de longitude e dirigiu-se para os mares da China.

Nenhum ponto deixou de ser explorado nessas águas, desde as costas do Japão às da América. E nada foi encontrado! Nada, a não ser a imensidão dos mares desertos. Nada que se parecesse com um narval gigantesco, com uma ilhota submersa, com o casco de um navio afundado, com um recife móvel ou com algo de sobrenatural.

O desânimo foi geral e abriu caminho à incredulidade. Com a desesperança e o descontentamento da tripulação, o comandante Farragut decidiu que, se no prazo de três dias o monstro não aparecesse, o timoneiro daria três voltas ao leme e a Abraham Lincoln navegaria para os mares da Europa.

A decisão, tomada a 2 de novembro, visava reanimar a tripulação. O oceano passou a ser observado com novo entusiasmo. Todos queriam dar uma última olhadela, como que para guardar uma recordação. Era um desafio supremo lançado ao narval gigante, sua última chance para aparecer de vez.

Exatamente ao meio-dia do dia 5 de novembro, expirava o prazo estabelecido pelo comandante Farragut, depois do que, fiel à sua promessa, devia rumar para sudeste e abandonar definitivamente as regiões setentrionais do Pacífico.

A fragata estava, então, a 31°15' de latitude norte e a 136° 42' de longitude leste. As terras do Japão estavam a menos de trezentos e vinte quilômetros para sotavento. Eram oito horas da noite. Grandes nuvens envolviam o disco da lua, em quarto crescente. O mar ondulava calmo sob a quilha do navio.

De repente, o silêncio foi quebrado com uma voz. Era Ned Land quem gritava:

– Alerta! Vejo o monstro! Ele vem em nossa direção!

Capítulo 6
A todo vapor

Imediatamente após aquele brado, toda a tripulação se precipitou para o arpoador. A escuridão era plena e, por muito bons que fossem os olhos do canadense, eu me perguntava como e o que ele teria visto. Meu coração disparou. Land não havia se enganado e todos viram, inclusive eu, o objeto, que ele apontava com a mão.

Aproximadamente a quatrocentos metros de Abraham Lincoln e a estibordo, o mar parecia iluminado por baixo. Não era um simples fenômeno de fosforescência. Não havia engano. Do monstro, submerso a alguns metros da superfície, emanava aquele brilho intenso e inexplicável, mencionado em vários relatos de capitães que o tinham visto. O comandante havia mandado parar a fragata.

– Não passa de uma aglomeração de moléculas fosforescentes – opinou um dos oficiais.

– Não, senhor – repliquei, com convicção. – É um brilho de natureza essencialmente elétrica. Desloca-se. Move-se para a frente e para trás.

Dirige-se para nós!

A gritaria foi geral na fragata.

– Silêncio! – ordenou o capitão. – Virar para barlavento a toda velocidade! – comandou, enérgico.

Os marinheiros correram para o leme e os maquinistas para a casa de máquinas. A Abraham Lincoln virou para bombordo e descreveu um semicírculo.

– O leme à direita! A todo vapor! – exigiu o comandante.

As ordens foram executadas e a fragata afastou-se rapidamente do foco luminoso. Na realidade, ela tentou afastar-se, mas o enigmático animal aproximou-se com uma velocidade dupla da sua.

Mal podíamos respirar a bordo. A estupefação, mais do que o medo, mantinha-nos mudos e paralisados. O animal ultrapassava-nos com a maior facilidade. Deu uma volta à fragata, que navegava a quatorze nós e a envolveu com a sua claridade elétrica como se fosse uma poeira luminosa. Depois afastou-se quatro ou cinco quilômetros, deixando um rasto fosforescente comparável aos turbilhões de vapor que lança a locomotiva de um expresso.

De repente, dos obscuros limites do horizonte onde se encontrava, o monstro avançou para a Abraham Lincoln com aterradora velocidade, parou bem próximo de nós e se apagou sem mergulhar nos abismos profundos. O seu brilho não sofreu um desaparecimento gradual, mas repentino, como se a fonte do seu brilhante eflúvio tivesse acabado. Depois reapareceu do outro lado da fragata, rodeando-a ou passando-lhe por baixo do casco. Apesar de acompanhar cada movimento, não pudemos ver a sua manobra. Contudo, eu me surpreendia com os movimentos da fragata. Ela fugia em vez de atacar. Era perseguida em vez de perseguir. Falei sobre isso com o comandante Farragut. O seu rosto, habitualmente impassível, estava dominado por uma surpresa indefinível.

– Sr. Aronnax – respondeu-me. – Não sei que espécie de gigantesco animal tenho pela frente e não quero arriscar imprudentemente a minha fragata. Esperemos pelo amanhecer e os papéis serão trocados. Eu passarei ao ataque.

– Então, o comandante não tem dúvidas quanto à natureza do animal? – Não, senhor. Trata-se evidentemente de um narval gigantesco, mas também de um animal elétrico.

– Talvez não seja possível uma aproximação – opinei.

– Provavelmente, não – concordou o comandante. – Se ele possuir um poder fulminante, é sem dúvida o animal mais terrível saído das mãos de Deus. É por isso, meu caro professor, que estou cauteloso. Toda a tripulação ficou a postos aquela noite. Como a Abraham Lincoln não podia competir em velocidade com o animal, moderou a sua marcha e navegava a meio vapor. Enquanto isso, o narval, ao imitar a fragata, deixava-se embalar pelas águas do mar, indicando que não iria abandonar o teatro da luta.

A uma hora da madrugada ouviu-se um silvo ensurdecedor, semelhante àquele que é produzido por uma coluna de água arremessada com extrema violência por algum engenho de grande força propulsora. O comandante Farragut, Ned Land e eu estávamos no tombadilho, averiguando avidamente as trevas profundas.

– Ned Land, você já ouviu baleias rugindo? – perguntou o comandante.

– Sim, muitas vezes, senhor. Mas nenhuma igual a essa.

– Tal barulho não é igual ao que fazem os cetáceos quando expelem água pelos respiradouros?

– Esse é incomparavelmente mais forte, senhor. Acredito que é mesmo um cetáceo que temos diante dos olhos. Se o senhor autorizar – acrescentou o arpoador –, ao amanhecer vou desafiá-lo.

– Se ele aparecer, meu caro Land – observei. – Se eu conseguir me aproximar dele à distância ideal para lançar o arpão, ele terá de me enfrentar – afirmou o canadense.

– Mas para se aproximar – disse o comandante – terei de pôr uma baleeira à sua disposição.

– Claro, comandante.

– Será arriscar a vida dos meus homens.

– E a minha – respondeu o arpoador.

Por volta de duas horas da madrugada, o foco luminoso reapareceu com a mesma intensidade, oito quilômetros a barlavento da Abraham Lincoln. Apesar da distância, do barulho do vento e do mar, ouvia-se as assustadoras batidas da cauda do animal, assim como a sua respiração ofegante.

A tripulação inteira permaneceu de vigia até o amanhecer, preparando-se para o combate. Os aparelhos de pesca foram dispostos ao longo da balaustrada. Foram carregadas as enormes espingardas que lançam os arpões à distância de um quilômetro e meio e as que disparam balas explosivas, cujo ferimento é mortal mesmo para os animais mais poderosos.

Ned Land tratou de preparar apenas o arpão, arma terrível em suas mãos. Na fragata estavam todos prontos para iniciar o combate. Às seis horas o dia nasceu. Com a sua claridade desapareceu o brilho elétrico do narval. Às sete horas um nevoeiro matinal muito cerrado diminuía o horizonte e os melhores óculos de longo alcance não conseguiam penetrá-lo. Esse fenômeno abateu todos aborrecidos a bordo.

De repente, ouviu-se a voz de Ned Land:

– O monstro está à ré, do lado de bombordo!

Todo mundo se virou para o ponto indicado. Cerca de dois quilômetros da fragata, um longo corpo escuro emergia um metro acima do nível das águas. A sua cauda, violentamente agitada, produzia um redemoinho considerável. Um imenso rasto de deslumbrante brancura marcava a passagem do animal e descrevia uma curva alongada. A fragata aproximou-se do cetáceo. Examinou-o atentamente. Os relatórios do Shannon e do Helvetia tinham exagerado um pouco as suas dimensões. Calculei o comprimento em cerca de oitenta e cinco metros. Quanto ao volume era difícil fazer um cálculo, mas o estranho animal parecia bem equilibrado em suas dimensões.

Havia soado a hora do combate.

A Abraham Lincoln, impelida para a frente pela sua potente hélice, dirigia-se diretamente para o animal. A fragata chegou ao monstro até uma distância de cem metros. Ele parecia não se dar ao trabalho de mergulhar e fosse fugir, mas continuou a manter certa distância da fragata.

Esta perseguição durou quarenta e cinco minutos, sem que ganhássemos sequer um metro ao cetáceo. Era evidente que, se não mudássemos o jogo, nunca conseguiríamos pegá-lo.

O comandante Farragut torcia com raiva a barba espessa. – Ned Land! – o chamou. – Ainda me aconselha a jogar as minhas embarcações ao mar? – perguntou ao canadense.

– Não, comandante.

– Que faremos então?

– Se for possível, aumente a velocidade. Quanto a mim, se o senhor permitir, vou me instalar no cesto do mastro e, assim que o animal estiver ao alcance do arpão, disparo.

O comandante o autorizou a fazer o que pretendia e mandou que o maquinista aumentasse a pressão das caldeiras. A fragata não demorou a alcançar a velocidade de trinta quilômetros por hora.

Entretanto, o maldito animal avançava com igual velocidade, continuando a manter a mesma distância que o separava de nós. Depois de algum tempo dessa trabalhosa perseguição, o narval começou a fazer um jogo que ainda nos causava mais suspense. Às vezes deixava a fragata chegar bem perto e depois fugia de novo. Ned Land continuava no seu posto, de arpão na mão, pronto para disparar.

– Vamos pegá-lo! Vamos pegá-lo! – gritava esperançoso, a cada vez que a fragata se aproximava do monstro.

Porém, no momento em que se preparava para arpoá-lo, o cetáceo afastava-se a uma velocidade que talvez atingisse cinquenta quilômetros por hora. Mesmo quando avançávamos à velocidade máxima, o animal agia como se brincasse com a fragata, dando uma volta por baixo.

A tripulação inteira gritava de raiva. Afinal, desde as oito horas da manhã até o meio-dia, nada conseguimos. Por isso, o comandante Farragut decidiu usar meios mais diretos.

– Esse animal anda mais depressa do que a minha fragata! – disse nervoso. – Pois bem, vamos ver se ele consegue escapar às balas cônicas. Mestre, mande os homens para a peça da proa. O canhão da proa foi imediatamente carregado e apontado. O tiro partiu, mas a bala passou alguns metros por cima do cetáceo, que estava a um quilômetro de distância.

– Dê outro disparo com mais pontaria! – ordenou o comandante. – Quinhentos dólares para quem atingi-lo – acrescentou.

Um velho artilheiro, de barba grisalha, de olhar calmo e frio, aproximou-se do canhão e fez pontaria durante algum tempo. Soou uma forte detonação, à qual se misturaram os vivas da tripulação. A bala atingiu o alvo, mas de maneira estranha, pois escorregou na superfície arredondada do animal e foi perder-se no mar.

– Ora esta! – exclamou o velho artilheiro. – Parece que está blindado com chapas de seis polegadas!

– Maldito! – gritou o comandante Farragut.

A perseguição continuou. Voltando-se para mim, disse ele:
– Pegarei esse animal ainda que a minha fragata se rebente!
– Vamos pegá-lo, comandante! – animei-o.

Após tanta luta, esperávamos que o animal se esgotasse e se rendesse ao cansaço. Mas isso não aconteceu. As horas passaram sem que ele desse qualquer sinal de fadiga. A Abraham Lincoln lutava com incansável tenacidade. Calculo que tenha percorrido mais de quinhentos quilômetros ao longo daquele fatídico dia 6 de novembro. Mas a noite chegou e envolveu em sombras o mar agitado.

Tudo indicava que a nossa expedição havia chegado ao fim e que nunca mais veríamos aquele animal fantástico. Ilusão! Quase às onze horas da noite a luminosidade elétrica reapareceu a cinco quilômetros a barlavento da fragata, tão pura e tão intensa como na noite anterior.

O narval parecia estar imóvel, talvez exausto, deixando-se flutuar ao movimento das ondas. Então, o comandante Farragut resolveu aproveitar essa chance de captura. Deu as ordens. A Abraham Lincoln avançou a baixa velocidade, prudentemente, para não acordar o adversário. Desligou as caldeiras a aproximadamente trezentos metros do animal e se pôs à deriva. Ninguém respirava a bordo. Reinava um silêncio profundo na coberta. Estávamos a menos de quarenta metros do foco ardente, cujo brilho aumentava e nos ofuscava os olhos.

Nesse instante vi Ned Land encostado ao cabo do castelo de proa segurando o arpão. Menos de sete metros o separavam do animal. De repente ele estendeu o braço com toda a força e o arpão foi lançado. Ouvi o choque sonoro da arma, que parecia ter-se embatido num corpo duro.

O foco elétrico apagou-se subitamente e duas enormes trombas de água abateram-se sobre a coberta da fragata, deslizando como uma torrente, de proa à popa, derrubando os marinheiros e quebrando os mastros. Deu-se um embate terrível. Pego de surpresa, não consegui me segurar e fui lançado por cima da amurada. Caí ao mar.

Capítulo 7
Uma baleia de espécie desconhecida

Apesar dessa queda brusca, conservei minha presença de espírito. O mergulho na água não me abateu. Com dois vigorosos impulsos voltei à superfície. O meu primeiro reflexo foi tentar localizar a fragata, mas as trevas eram profundas.

Avistei uma massa negra que desaparecia para leste e cujos focos de luz se desvaneciam no horizonte. Era a fragata e eu me senti perdido. Com braçadas desesperadas nadei na sua direção, gritando por socorro. As minhas roupas, coladas ao corpo e pesadas, me impediam os movimentos. Me afogava. Sufocava. Debatia-me, arrastado para o abismo. Entrei em desespero, quando me senti agarrado por uma mão vigorosa que me levou de volta à tona.

– Se o senhor fizer o favor de se apoiar no meu ombro, nadará muito mais à vontade.

Reconheci a voz de meu fiel criado e me agarrei ao braço dele.

– O choque o lançou ao mar ao mesmo tempo que a mim? – perguntei. – De maneira nenhuma. Mas uma vez que estou ao serviço do senhor, tinha de segui-lo.

O valente rapaz achava isso natural.

– E a fragata?

– Acho que o senhor não pode contar com ela. No momento em que me atirei ao mar ouvi os homens gritando que a hélice e o leme haviam se quebrado. – Partiram-se?

– Sim. Foi o dente do monstro. Penso que foi a única avaria sofrida pela fragata. Mas, infelizmente para nós, ela não ficou em condições de se governar.

– Assim, estamos perdidos!

– Talvez – respondeu-me Conselho, tranquilamente. – No entanto, ainda temos algumas horas à nossa frente e durante esse tempo muita coisa pode acontecer.

O imperturbável sangue-frio dele animou-me um pouco.

Entretanto, com o passar do tempo a nossa situação foi ficando insustentável. Terrível mesmo. Apesar de o nosso desaparecimento ter sido notado imediatamente a bordo da fragata, ela não podia tentar nos socorrer porque estava desgovernada. Portanto, só podíamos contar com os botes.

A colisão entre a fragata e o cetáceo ocorreu por volta das onze horas da noite. Portanto, ainda tínhamos oito horas até o nascer do sol. Durante esse tempo deveríamos nadar, boiar, fazer o possível para nos mantermos vivos. Por volta da uma hora da manhã, sentia-me extremamente cansado e com as pernas tesas devido a violentas cãibras. Conselho foi obrigado a suster-me e passou a ser o único responsável pelo nosso salvamento. Acontece que ele também estava exausto. Logo não poderia aguentar aquela situação por mais tempo.

– Deixe-me! – disse a ele.

– Abandonar o senhor? Nunca farei isso – afirmou. – Na verdade, espero afogar-me primeiro do que o senhor!

Naquela hora, a lua surgiu através das franjas de uma grande nuvem que o vento arrastou para leste. A superfície do mar brilhou sob os seus raios e essa luz benfazeja me ajudou a recuperar as forças. Levantei a cabeça e observei todos os pontos do horizonte. Avistei a fragata, que estava a cerca de oito quilômetros de nós, e constituía uma massa sombria que mal se notava no horizonte. Mas não vi um só dos seus botes. Conselho gritou por socorro algumas vezes.

Sem fazermos qualquer movimento, ficamos à escuta. Podia ter sido um desses zumbidos originados pelo espírito oprimido, mas a verdade é que me pareceu ouvir um grito respondendo ao apelo do meu criado.

– Ouviste? – perguntei.

– Sim, ouvi.

Conselho deu mais um grito de socorro. Agora não podíamos ter mais dúvida. Uma voz respondia à dele. Naquele instante bati num corpo duro e me agarrei nele. Senti que era arrastado, que me puxavam até a superfície, e desmaiei. Recuperei rapidamente os sentidos e entreabri os olhos.

– Conselho! – murmurei.

– O senhor chamou? – ouvi a voz dele.

Naquele momento, aos últimos raios da lua que desaparecia no horizonte, distingui um rosto que não era o do meu criado.

– Ned! – exclamei.

– Em pessoa, professor.

– Você também foi atirado ao mar?

– Fui. Mas tive mais sorte do que o senhor, porque quase imediatamente encontrei um recife flutuante e me agarrei nele.

– Um recife?

– Ou, para dizer melhor, agarrei-me ao nosso narval. – Ao monstro? – Nele mesmo. Agora sei por que o meu arpão não conseguiu furar a pele dele. É que este animal, Sr. Aronnax, é feito de chapa de aço. Subi imediatamente ao ponto mais elevado do objeto parcialmente submerso que nos servia de refúgio. Bati nele com o pé. Tratava-se evidentemente de um corpo duro, impenetrável, e não da substância mole característica dos mamíferos marinhos. O dorso escuro que nos suportava era liso e polido. Ao ser tocado produzia um som metálico.

Agora, não podia haver mais dúvida. O animal, o monstro, o fenômeno que tinha intrigado todo o mundo científico, agitado e transtornado a imaginação dos marinheiros dos dois hemisférios, era algo ainda mais espantoso, porque tinha sido feito pelas mãos do homem.

Incrível como a descoberta da existência do ser mais fabuloso e mais mitológico mexeu com a minha inteligência. É compreensível que venha do Criador tudo o que é prodigioso, mas encontrar de repente, diante dos nossos olhos, o impossível realizado misteriosamente pelo homem, confunde as ideias. E, no entanto, era verdade. Nós estávamos estendidos sobre o dorso de uma espécie de submarino, com a forma, tanto quanto pude perceber, de um imenso peixe. A opinião de Ned a respeito dele era certa. Conselho e eu fomos obrigados a concordar com ele que o tal animal era feito de chapa de aço.

– Mas então este aparelho deve conter um mecanismo de locomoção e uma tripulação para manobrá-lo – comentei.

– Evidentemente – respondeu o arpoador –, embora haja mais ou menos três horas que estou aqui e ainda não vi sinal de vida nele.

– Ainda não se moveu?

– Não, Sr. Aronnax. Ele se embala ao movimento das ondas, mas não se move.

— Contudo, sabemos que ele é dotado de grande velocidade. Ora, como é preciso um motor para produzir tal velocidade e um maquinista para o dirigir, concluo que estamos salvos. — Hum! — expressou Ned Land com certa reserva.

Naquela hora, e como que para dar razão aos meus argumentos, produziu-se um turbilhão na ré do estranho aparelho, cujo propulsor era certamente uma hélice, e ele começou a se movimentar. Foi tudo muito rápido, só tivemos tempo de nos agarrarmos à parte superior que submergiu cerca de oitenta centímetros. Felizmente a sua velocidade não era tão grande.

— Enquanto navegar à superfície, tudo vai bem. Mas se ele resolver mergulhar, a minha pele não vale um centavo — disse Ned Land.

Assim sendo, precisaríamos nos comunicar urgentemente com quem quer que estivesse no interior daquela máquina. Procurei uma abertura na superfície, mas as linhas das cavilhas, solidamente achatadas na junção das folhas, eram contínuas e uniformes.

Para complicar ainda mais, a lua desapareceu, nos deixando na mais completa escuridão. Tínhamos de esperar pelo nascer do dia para tentarmos entrar naquele barco submarino.

Por volta das quatro horas da madrugada a velocidade do aparelho aumentou. A muito custo resistimos àquele vertiginoso andamento, pois as ondas batiam em cheio em nossos corpos. A sorte é que Ned encontrou uma grande argola fixa na parte superior do casco e nos agarramos a ela.

Finalmente o dia clareou. Fomos envolvidos pelas brumas matinais, que não tardaram a dissipar-se. Ao preparar-me para examinar o casco, que formava na parte superior uma espécie de plataforma horizontal, senti a máquina submergindo.

— Com mil diabos! — gritou Ned Land, batendo com o pé no casco. Abram, marinheiros!

Contudo, era difícil que o ouvissem no meio dos ruídos produzidos pelo barulho da hélice. Felizmente o movimento de imersão parou. De repente ouvimos o som de manuseamento de ferros no interior do barco. Abriu-se uma chapa. E surgiu um homem que desapareceu imediatamente, assim que nos viu. Logo depois, apareceram oito robustos marinheiros, com os rostos cobertos, que nos levaram para o interior da sua formidável máquina.

Capítulo 8

Mobilis in mobile

Eles agiram rápido e de modo brutal. Nem eu e nem meus companheiros tivemos tempo de ver o que se passava. Ao ser levado para aquela prisão flutuante, senti um calafrio pelo corpo todo. Quem seriam aquelas pessoas? Deveriam ser uma nova espécie de piratas a explorar os mares.

Assim que a estreita abertura se fechou atrás de nós, ficamos em plena escuridão. Não conseguia distinguir nada. Apenas senti os meus pés descalços descerem os degraus de uma escada de ferro. Ned Land e Conselho seguiam-me, seguros pelos homens estranhos. No fundo da escada abriu-se uma porta que se fechou imediatamente após sermos empurrados através dela.

Nós estávamos prisioneiros. Onde? Nem dava para imaginar. Tudo era escuro, mas de um escuro tão absoluto que, passados alguns minutos, os meus olhos ainda não tinham vislumbrado nenhum desses raios intermitentes que flutuam nas noites mais profundas. Ned Land começou a se descontrolar e passou a xingar os carcereiros.

– Não se exalte, Ned – aconselhei-o. – Pode agravar a nossa situação com esses excessos inúteis. Devem estar nos ouvindo. Vamos tentar descobrir onde estamos.

Passei a tatear a minha volta. Dei alguns passos e esbarrei no que me pareceu ser uma parede de ferro feita de grandes chapas cavilhadas. Ao me virar bati numa mesa de madeira, junto da qual haviam alguns bancos alinhados. O soalho da nossa sala estava coberto por uma esteira que abafava o ruído dos passos. As paredes nuas não revelavam o mínimo vestígio de porta ou de janela.

Ao fazer uma meia-volta em sentido inverso, Conselho juntou-se a mim e nos reunimos no meio daquela cabina que devia ter uns seis metros de comprimento por três de largura. Quanto à sua altura, embora fosse um homem alto, Ned Land não conseguiu alcançar o teto. Passada meia hora sem que a situação se alterasse, passamos de repente da mais profunda escuridão para a claridade mais intensa. Repentinamente, a nossa prisão foi iluminada e ficou tão claro o ambiente que quase não pude suportar seu brilho. Pela intensidade de sua claridade reconheci a luz elétrica que produzia à volta do submarino aquele deslumbrante fenômeno de fosforescência.

Depois de ter fechado os olhos involuntariamente, quando os abri de novo vi que a luz provinha de uma espécie de globo despolido preso na parte superior da sala. Assim que a luz foi acesa escutamos um ruído de ferrolhos, a porta abriu-se e apareceram dois homens. Um deles era um indivíduo comum. Quanto ao outro merece uma descrição mais detalhada. Reconhecia-se facilmente as suas qualidades dominantes, como confiança em si próprio, porque a cabeça se erguia com nobreza sobre o arco formado pela linha dos seus ombros. Seus olhos negros refletiam segurança. Era um homem calmo, pois a sua pele, mais pálida do que corada, deixava transparecer a tranquilidade do sangue. Tratava-se de uma pessoa enérgica e demonstrava isso pela rápida contração dos músculos da face. Enfim, era um ser corajoso, porque a sua respiração profunda denotava grande expansão vital.

Acrescento que aquele homem era arrogante, que o seu olhar firme e calmo parecia refletir os mais altos pensamentos e que de todo este conjunto, da homogeneidade das expressões, dos gestos do corpo e do rosto, ressaltava uma indiscutível franqueza. Senti-me involuntariamente tranquilo e antevi algo de bom em sua presença. Quanto a sua idade eu não poderia dizer se tinha trinta e cinco ou cinquenta anos. Sua estatura era alta, testa ampla, nariz aquilino, a boca nitidamente desenhada, os dentes magníficos, as mãos finas e alongadas.

Sem dizer uma palavra, ele nos examinou atentamente. Depois, ao virar-se para o seu companheiro, conversaram numa língua que eu não consegui reconhecer. O outro falou apenas duas ou três palavras e limitou-se mais a concordar com acenos de cabeça sobre o que ouvia. A seguir, aquele que era certamente o chefe, pareceu interrogar-me diretamente com os olhos, sem uma única palavra.

Falei em francês, dizendo-lhe que não entendia a língua em que tinham conversado. Tive a impressão de que ele não me compreendeu e a situação tornou-se bastante embaraçosa. Depois Ned Land falou com ele em inglês e Conselho, em alemão. Por último, numa desesperada tentativa de me fazer entender, tentei expressar-me em latim. Em nenhuma dessas línguas conseguimos nos comunicar com os dois desconhecidos.

Quando desistimos de dialogar com eles, por termos esgotados os nossos recursos linguísticos, os dois homens trocaram algumas palavras na sua incompreensível língua e retiraram-se sem sequer nos dirigir um gesto tranquilizador. Discutíamos a nossa situação, quando a porta foi novamente aberta e entrou um criado de bordo. Ele nos deu casacos e calças feitos de um tecido que desconhecíamos. Rapidamente nos vestimos com aquelas roupas. Afinal, toda roupa serve aos nus. Enquanto nos vestíamos, o rapaz preparou a mesa para três pessoas.

Os pratos, cobertos com as respectivas tampas de prata, foram simetricamente colocados sobre a toalha. Tomamos lugar à mesa. Entre as iguarias que nos foram servidas, reconheci diversos peixes requintadamente cozidos, mas quanto aos outros pratos, aliás excelentes, não soube do que se tratava.

Todos os utensílios de que nos servimos tinham uma letra encimada por uma divisa Mobilis in Mobili N. (Móvel em elemento móvel) Esta divisa aplicava-se com justeza aquele barco submarino. A letra N seria certamente a inicial do nome da enigmática personagem que comandava o navio. Satisfeita a nossa fome, a necessidade de dormir se fez imediata, como reação natural depois da infindável noite em que tínhamos lutado contra a morte. Pouco depois, nós três dormíamos profundamente.

Capítulo 9

A fúria de Ned Land

Não sei qual foi a duração do nosso sono, mas deve ter sido longo, pois ao acordarmos nos sentimos completamente recuperados do esgotamento físico. Fui o primeiro a despertar. Assim que me levantei daquele leito um pouco duro, senti o cérebro desanuviado, o espírito livre e tentei reavaliar a nossa realidade, enquanto examinava a cela.

O monstro de aço acabava de emergir para respirar, como as baleias. Logo que oxigenei os pulmões com o ar puro, procurei descobrir o condutor que fazia chegar até nós aquela corrente benéfica e logo o encontrei. Por cima da porta havia um orifício de ventilação que deixava passar uma coluna de ar fresco, renovando assim a atmosfera saturada da cela.

Em seguida, Ned e Conselho acordaram, quase ao mesmo tempo, sob o efeito daquele ar revigorante.

– O senhor dormiu bem? – perguntou-me Conselho.

– Muito bem, meu rapaz – respondi. – E você, mestre Land? – indaguei ao canadense.

– Dormi profundamente, professor.

– Aconteceu o mesmo comigo – disse Conselho. A seguir me perguntou:

– O que acha da nossa situação, professor?

– Acredito que o acaso nos revelou um importante segredo. Se a tripulação deste navio submarino visa a mantê-lo oculto, e se esse interesse for para eles mais importante do que três vidas humanas, acho que a nossa existência está comprometida. Em caso contrário, na primeira ocasião, o monstro que nos engoliu há de devolver-nos ao mundo habitado pelos nossos semelhantes.

– A menos que nos incluam na tripulação e nos mantenham aqui – comentou o meu criado.

– E aqui ficaremos até o dia em que uma fragata mais rápida ou mais hábil do que a Abraham Lincoln, apodere-se deste ninho de piratas, fazendo-os respirar pela última vez nas vergas dos mastros. – Bem pensado, mestre Land – repliquei. – Mas, que eu saiba, ainda não nos foi feita nenhuma proposta. Portanto é inútil discutir o que devemos fazer. Vamos aguardar e reagir diante de circunstâncias concretas. De qualquer maneira, não creio que tenhamos condições de exigir muita coisa.

Os sinais de inconformismo eram notáveis no canadense. Isso me deixava bastante preocupado. Eu mesmo estava incomodado com o nosso abandono naquela cela e nem podia calcular quanto tempo poderíamos ficar ali detidos.

As esperanças que eu tinha alimentado depois que o comandante do submarino esteve conosco, desvaneciam-se pouco a pouco. A doçura do olhar daquele homem, a expressão generosa do seu rosto, a nobreza do seu porte, tudo isso desaparecia da minha lembrança. Passei a ver aquela personagem enigmática como ela devia ser, necessariamente impiedosa e cruel. Sentia-o desumano, incapaz de qualquer sentimento de piedade, inimigo implacável dos seus semelhantes aos quais devia consagrar eterno ódio.

Naquele momento, ouvimos um ruído no exterior e escutamos passos que se aproximavam no chão metálico.

Os ferrolhos foram corridos, a porta foi aberta e o mesmo empregado que nos serviu a comida entrou. Antes que eu tivesse tempo de impedir, o canadense

precipitou-se sobre ele, derrubou-o e começou a estrangulá-lo. Conselho tentava retirar a vítima já meio inconsciente das mãos do arpoador. De repente, fui surpreendido ao ouvir uma advertência falada em excelente francês:

– Acalme-se, mestre Land. E o senhor professor, queira escutar-me.

Capítulo 10

O homem das águas

Era o comandante do submarino quem falava assim. Ao ouvir aquelas palavras, Ned Land levantou-se bruscamente, libertando a sua vítima. A um sinal do chefe, pois foi ele quem as pronunciou, o rapaz saiu cambaleando. Conselho e eu, quietos e mudos, aguardamos receosos a sequência da cena.

O comandante, apoiado no canto da mesa, de braços cruzados, nos observava com muita atenção. Hesitaria em falar? Estaria arrependido das palavras que pronunciou em francês?

Passados alguns momentos de silêncio, que nenhum de nós pensou em quebrar, ele começou a falar com voz calma e penetrante.

– Meus senhores, falo corretamente francês, inglês, alemão e latim.

Em minha primeira visita, poderia ter respondido às palavras de vocês. No entanto, quis conhecê-los primeiro para depois refletir sobre a atitude que tomaria a respeito. Os três disseram as mesmas coisas e me forneceram as suas identidades. Sei agora que o acaso trouxe ao meu barco o senhor Pierre Aronnax, professor de História Natural do Museu de Paris e encarregado de uma missão científica no estrangeiro. Conselho é o seu criado e Ned Land, canadense e arpoador da fragata Abraham Lincoln, da marinha dos Estados Unidos da América.

Inclinei-me em sinal de concordância.

Ele realmente havia entendido tudo que falamos. Continuou o seu discurso após uma breve pausa, admitindo que hesitou muito a voltar a falar conosco. E explicou:

– As mais desagradáveis circunstâncias colocaram vocês na presença de um homem que rompeu com a humanidade. Enfim, devo dizer que vocês vieram perturbar a minha solitária existência.

– Involuntariamente – disse eu.

– Involuntariamente? – repetiu o desconhecido, elevando um pouco a voz. – Foi involuntariamente que a Abraham Lincoln andou me perseguindo por todos os mares? Foi involuntariamente que vocês embarcaram nessa fragata? Foi involuntariamente que dispararam aquelas balas contra o meu barco? Foi involuntariamente que Ned Land me atingiu com o seu arpão?

O comandante não conseguiu disfarçar sua irritação. Mas eu dei uma resposta natural para as suas recriminações.

– O senhor certamente ignora as discussões que houve na América e na Europa por sua causa. Desconhece que diversos acidentes provocados pelos choques com o seu submarino alvoroçaram a opinião pública dos dois continentes. Não sabe as numerosas hipóteses com as quais se tentou esclarecer o inexplicável fenômeno de que o senhor é o único a ter o segredo. Saiba, porém, que ao persegui-lo até o Pacífico, a Abraham Lincoln julgava caçar um poderoso monstro marinho que ameaçava o oceano.

Com um leve sorriso, o comandante disse num tom mais calmo:

– Sr. Aronnax, ousa afirmar que a sua fragata não teria igualmente perseguido e bombardeado um submarino ou um monstro?

Fiquei embaraçado com tal pergunta. Tenho certeza de que o comandante Farragut não teria hesitado, pois considerava o seu dever destruir quer um barco como aquele quer um narval gigante. Diante do meu silêncio, ele falou:

– Assim sendo, compreende que tenho todo o direito de considerá-los como inimigos.

Continuei mudo. Afinal, de nada serve discutir uma proposição quando a força pode destruir os melhores argumentos que se tem.

– Refleti por muito tempo – continuou o comandante. – Nada me obrigava a dar a vocês hospitalidade. Se pretendia me livrar de vocês, não tinha qualquer interesse em voltar a vê-los. Era só mandar levá-los para a plataforma do meu barco, mergulhar e esquecer que tinham existido.

Não era esse o meu direito?

– Talvez fosse o direito de um selvagem, mas não o de um homem civilizado – respondi.

– Sr. Aronnax – replicou com vivacidade. – Não sou aquilo a que chama um homem civilizado! Rompi com toda a sociedade por motivos que só eu posso apreciar. Portanto, não obedeço às suas regras e peço que nunca as evoque em minha presença!

Estas palavras foram ditas pausadamente. Um raio de cólera e de desprezo iluminou os seus olhos e eu adivinhei em sua vida um passado extraordinário. Não só se tinha colocado à margem das leis humanas, como se tornou independente, livre na mais rigorosa acepção da palavra, fora de qualquer ataque. Quem ousaria persegui-lo até o fundo dos mares? Que navio resistiria ao choque de seu barco submarino? Que casco, por mais espesso que fosse, suportaria os golpes do seu esporão? Nenhum homem poderia pedir a ele contas dos seus atos. Deus, se é que acreditava nele, e a sua consciência, se a tivesse, eram os únicos juízes de que poderia depender.

Depois de um longo silêncio, o comandante prosseguiu:

– Talvez o meu interesse possa se harmonizar com aquela piedade natural a que todo homem tem direito. Continuarão a bordo, já que a fatalidade os colocou aqui. Serão livres, mas em troca dessa liberdade, aliás relativa, exijo uma única condição. E destacou:

– A promessa de que irão cumpri-la é suficiente para mim.

– A sua condição é daquelas que um homem honesto pode aceitar, comandante? – perguntei.

– Claro! Aqui está ela: é possível que alguns imprevistos me obriguem a fechá-los nos seus camarotes durante algumas horas ou dias, conforme os acontecimentos. Desejo nunca usar a força, espero de vocês a mais completa obediência. Ao agir assim, isento-os de toda a responsabilidade, liberto-os completamente de quaisquer comprometimentos com os meus atos. Aceitam esta condição?

Passavam-se a bordo coisas mais ou menos estranhas, que não deviam ser presenciadas por pessoas que não estivessem à margem da sociedade. Entre as surpresas que o futuro me reservava esta seria certamente das maiores.

– Aceitamos! – respondi. – Mas, antes, posso fazer uma única pergunta?
– Pode falar.
– O que devemos entender quando disse que gozaríamos de liberdade a bordo?
– Liberdade de ir e vir, de observar, de ver tudo o que se passa, exceto em algumas raras ocasiões.

As suas colocações deixavam bem claro que não poderíamos fazer qualquer tentativa de fuga. Isso poderia se tornar possível para nós quando o submarino se aproximasse de alguma costa.

– Essa liberdade não é suficiente para nós, comandante – disse francamente.
– No entanto, tem de ser – respondeu.
– Como? Então devemos renunciar para sempre a rever a nossa pátria, os amigos, os parentes?
– Sim, professor. Mas renunciar a retomar o jugo insuportável da terra, que os homens têm como liberdade, talvez não seja tão penoso como julga.
– Não pode ser – manifestou-se Ned Land. – Não posso dar a minha palavra de que não tentarei fugir.
– Não peço a sua palavra, Sr. Land – falou o comandante, friamente. – O senhor abusa da sua situação em relação à nossa – retruquei, um pouco exaltado. – Isso é crueldade!
– Não, senhor! É clemência. São meus prisioneiros de guerra. Conservo as vidas de vocês quando podia mergulhá-los nas profundezas do oceano. Os senhores atacaram-me! Vieram desvendar um segredo que nenhum homem no mundo deveria conhecer. O segredo de toda a minha existência! Julgam que vou deixá-los regressar a essa terra que nunca deverá me conhecer? Nunca! Se os mantenho aqui, não é por vocês, é por mim.

Esse discurso revelou da parte do comandante uma decisão contra a qual nenhum argumento seria eficaz.

– Dessa forma, o Sr. comandante nos dá pura e simplesmente a escolher entre a vida de cativos ou a morte?
– Exatamente!
Ao me dirigir aos meus companheiros, disse:

– Meus amigos, a uma afirmação assim não posso contra-argumentar. Mas nenhuma palavra nos obriga perante o comandante.

– Nenhuma – confirmou o comandante. Depois, com uma voz mais suave, falou:

– Agora, permitam-me concluir aquilo que queria dizer. Já o conheço, professor Aronnax. O senhor, mais do que os seus companheiros, não terá muito de que se queixar do acaso que o liga ao meu destino. E continuou:

– O senhor encontrará entre os livros que uso para os meus estudos favoritos a obra que publicou sobre os grandes fundos marinhos. Já a li muitas vezes. Levou a sua obra tão longe quanto a ciência terrestre lhe permitiu. Mas não sabe tudo, não viu tudo. Professor, tenho certeza de que não lamentará o tempo que passar a bordo do meu navio. Vai viajar pelo país das maravilhas desconhecidas. A surpresa e a perplexidade devem ser o seu habitual estado de espírito. Não se aborrecerá facilmente com o espetáculo, que nunca deixará de se oferecer aos seus olhos. Pretendo rever numa nova viagem pelo mundo submarino, quem sabe talvez a última, tudo o que pude estudar no fundo desses mares tantas vezes percorridos, e o senhor será o meu companheiro de estudos. A partir de hoje, entra num novo elemento e verá o que nenhum homem jamais viu, excetos eu e meus homens. O nosso planeta, graças a mim, vai revelar-lhe os seus últimos segredos.

Não posso negar que essas palavras do comandante produziram em mim um grande efeito. Estava dominado pelo meu ponto fraco e esquecia, por um instante, que a contemplação daquelas coisas sublimes não valia a perda da liberdade. Aliás, eu contava com o futuro para resolver essa importante questão, por isso contentei-me em responder:

– Sr. comandante, se o senhor rompeu com a humanidade, não posso crer que tenha renegado todos os sentimentos humanos. Somos náufragos caridosamente recolhidos e não o esqueceremos. Quanto a mim, não nego que o interesse da ciência poderia me absorver até o desprezo pela liberdade, pois o que me promete seria mais do que compensador.

Eu esperava que o comandante fosse me estender a sua mão para celebrar o nosso tratado, mas ele não o fez, o que eu lamentei.

– Uma última pergunta – falei, no momento em que aquele enigmático homem parecia querer retirar-se.

– Fale, professor!

– Por qual nome devemos tratá-lo?

– Para os senhores sou o capitão Nemo. Os senhores são considerados passageiros do Náutilus. E agora, Sr. Aronnax, o nosso almoço está pronto. Apenas o senhor queira seguir-me.

– Às suas ordens, senhor.

Segui o capitão Nemo e, assim que passei pela porta da cela, encontrei-me numa espécie de corredor iluminado eletricamente. Após andarmos uns dez metros, abriu-se uma segunda porta. Acompanhei-o e entramos numa sala de jantar decorada e mobiliada com austeridade. No meio dela havia uma mesa ricamente servida.

O capitão Nemo indicou-me o lugar que devia ocupar.

– Sente-se, professor, e sirva-se à vontade.

A refeição era composta por pratos de origem marinha e de outras iguarias que não conhecia nem mesmo de onde provinham. Eram todos bons, embora tivessem um sabor estranho. Depois, até me acostumei.

Para não fazermos toda a refeição em silêncio, provoquei-o com o seu assunto predileto.

– O capitão certamente ama o mar – disse.

– Sim, amo-o. O mar é tudo. Cobre sete décimos do globo terrestre. O seu aroma é são e puro. É um imenso deserto onde o homem nunca está só. O mar é o veículo de uma existência sobrenatural e prodigiosa. É movimento e amor. É o infinito vivo, como afirmou um dos seus poetas.

No mar reina a suprema tranquilidade. O mar não pertence aos déspotas. Ah! O senhor professor deveria viver no seio dos mares! Só aí há independência. Aí não convivo com amos! Sou livre!

Após todo o encantamento ao falar sobre o mar, o capitão Nemo acalmou-se e a sua fisionomia retomou a habitual frieza. Por fim, disse:

– Agora, professor, se desejar visitar o Náutilus, estou ao seu dispor.

Capítulo 11

O Náutilus

O capitão Nemo levantou-se e eu o segui. Conheci a sua fabulosa biblioteca. Em número de volumes era bem superior à que eu tinha em Paris e, provavelmente, deveria ser também no conteúdo dos seus livros. Pacientemente, apresentou sua coleção da fauna marinha, em uma enorme sala construída especialmente para esse fim. Era fantástica. Nenhum museu da Europa tinha uma coleção de espécimes marinhos como a dele.

Enquanto passeávamos, eu comentei:

– Mas se esgoto a minha admiração por tudo de extraordinário que tem me mostrado, capitão Nemo, que me restará além de todas essas maravilhas? Não posso conhecer os segredos contidos aqui, mas confesso que este Náutilus, a força motriz que tem dentro de si, as máquinas que o fazem navegar, o agente poderoso que o anima, tudo isso aguça muito mais a minha curiosidade. Vejo suspensos nessas paredes por onde temos passado, instrumentos que não sei para que servem.

– Sr. Aronnax – interrompeu-me. – Disse ao senhor que seria livre a bordo do meu navio e, por consequência, nenhuma parte do Náutilus lhe está vedada. Pode visitar o navio demoradamente, e eu terei muito gosto em ser o seu guia.

– Não sei como lhe agradecer, mas não quero abusar de sua paciência. Quero apenas saber para que servem esses instrumentos.

– Tenho outros iguais em meu quarto e é lá que terei muito prazer em explicar seu uso. Mas antes venha visitar o seu camarote.

Conduziu-me para a proa, onde encontrei não um camarote, mas um elegante quarto com uma cama, uma cômoda e outros móveis.

– O seu quarto é contíguo ao meu – disse, abrindo uma porta – e o meu dá para o salão que acabamos de deixar.

Em seguida, o capitão convidou-me a entrar no seu quarto. Tinha um aspecto sisudo, quase ascético. Uma cama de ferro, uma mesa de trabalho, alguns móveis, tudo simples, nada confortável. Havia apenas o estritamente necessário.

– Por favor, sente-se – disse.

Capítulo 12
Tudo pela eletricidade

Agora veja – apontou o capitão Nemo para os instrumentos suspensos nas paredes do quarto – os aparelhos necessários à navegação do Náutilus. Tanto aqui como no salão os tenho sempre diante dos olhos, pois indicam a minha posição e direção exatas no oceano. Alguns são familiares, tais como o termômetro, que dá a temperatura interior do barco; o barômetro, que mede a pressão atmosférica e prevê as mudanças de tempo; o higrômetro, que mede a umidade do ar; o *stormglass*, cuja mistura, quando se decompõe, anuncia tempestade; a bússola que dirige a rota; o sextante, que pela altura do sol me informa da latitude; os cronômetros, que me permitem calcular a longitude; e, finalmente, estes óculos de alcance para dia e noite, que servem para observar o horizonte quando subo à superfície.

– São os instrumentos comuns do navegador e conheço a sua utilidade – disse. – Mas estes outros aqui certamente respondem às exigências especiais do Náutilus. Este quadrante com um ponteiro móvel não é um manômetro? – indaguei.

– Na realidade, é um manômetro que posto em contato com a água indica a pressão exterior, fornecendo-me ao mesmo tempo a profundidade em que está o submarino.

– E estas sondas?

– São termométricas e indicam a temperatura das diversas camadas de água que vamos atravessando.

– Estes outros instrumentos, nem imagino para que servem.

– Vou explicar, professor. Queira ter a bondade de me escutar – disse o capitão Nemo.

Permaneceu em silêncio por uns instantes e prosseguiu:

– Existe um agente poderoso, obediente, rápido, manobrável para todos os fins, que é rei e senhor a bordo do meu submarino. Tudo é feito por ele. Ilumina, aquece, é a alma de todos os aparelhos: a eletricidade.

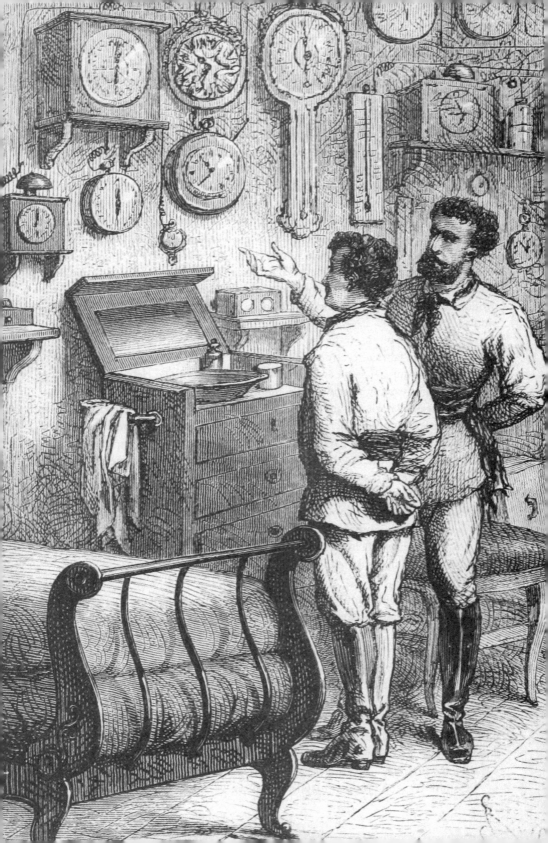

Sem ela, nada teria conseguido.

– A eletricidade? – perguntei, surpreso.

– Sim, professor.

– Todavia, capitão, o seu navio tem uma extrema rapidez de movimentos que dificilmente se explica pela eletricidade. Pelo que sei, a sua força dinâmica se mantém até hoje muito restrita, e só produziu forças reduzidas.

– Professor, saiba que a minha eletricidade não é a mesma do resto do mun- do. Mas a esse respeito não posso revelar mais nada. Basta saber que o mar me fornece os meios de produzir a minha eletricidade. Você sabe que a água do mar é composta de cloreto de sódio; depois, em menor quantidade, cloretos de magnésio e de potássio, brometo de magnésio, sulfato de magnésio, sulfato e carbonato de cal. O cloreto de sódio forma uma grande parte dele. Então é esse sódio que extraio da água do mar, e do qual componho meus ingredientes. Devo tudo ao oceano; ele produz eletricidade, e a eletricidade dá calor, luz, movimento e, em uma palavra, vida ao Nautilus.

– E o ar que respira? – indagou o professor.

– Eu poderia fabricar o ar necessário para o meu consumo, mas não é necessário, pois subo à superfície da água quando quero. Porém, se a eletricidade não me fornece ar para respirar, funciona pelo menos as poderosas bombas que são armazenadas em reservatórios, e que me permitem prolongar conforme a necessidade, e enquanto eu quiser, minha permanência nas profundezas do mar. Fornece uma luz uniforme e ininterrupta, que o sol não dá.

O capitão Nemo mudou de assunto, que me interessava profundamente, e passou a me mostrar outros instrumentos e a dar explicações.

– Repare neste relógio, professor. É elétrico e trabalha com uma regularidade que desafia os melhores cronômetros. Está dividido em vinte e quatro horas, como os relógios italianos, porque para mim não existe nem dia e nem noite, nem sol e nem lua, mas apenas esta luz artificial que arrasto até o fundo dos mares. Veja, neste momento são dez horas da manhã.

– Perfeitamente.

– Observe esta outra aplicação da eletricidade: este quadrante serve para indicar a velocidade do Náutilus. Agora estamos nos movendo a vinte e cinco quilômetros por hora.

– É maravilhoso! E vejo que descobriu como usar este agente, que, num futuro próximo, substituirá o vento, a água e até o vapor – muito interessante, disse a ele.

– Caso queira me acompanhar, visitaremos agora a ré do Náutilus. Saiu e eu o segui através dos corredores. Chegamos ao centro do navio onde havia uma espécie de poço, que se abria entre dois tabiques estanques. Uma escada de ferro presa na parede conduzia à sua extremidade superior. Perguntei ao capitão para que servia aquela escada.

– Vai dar ao bote – informou.

– Como? Tem um bote? – indaguei, surpreso.

– Sem dúvida. Uma excelente embarcação ligeira, insubmersível, que serve para passear e pescar.

Passamos à casa das máquinas. Muito iluminada, devia medir pelo menos vinte metros de comprimento, e estava dividida em duas partes: a primeira mantinha os elementos que produziam a eletricidade e a segunda, os mecanismos que transmitiam o movimento à hélice.

Como era de se esperar, ficamos muito pouco na casa das máquinas.

– Venha para o salão e lá você aprenderá tudo o que deseja saber sobre o Nautilus. – disse o capitão.

Durante nossas conversas, aproveitei para esclarecer com o capitão um acidente.

Capítulo 13
Alguns dados

Sentado em um sofá da sala e charuto na boca, o capitão Nemo resolveu mostrar um desenho com a planta do Náutilus. E começou sua descrição:

– Sr. Aronnax, aqui estão as várias dimensões do navio que o transporta. É um cilindro muito alongado, com extremidades cônicas. Tem a forma de um charuto, forma já adotada em Londres em várias construções do mesmo tipo. O comprimento desse cilindro, de uma cabeça a outra, é de exatamente setenta metros, e seu feixe, em sua maior largura, é de oito metros. Portanto, não é construído exatamente ao décimo como seus vapores de alta velocidade, mas as linhas são suficientemente longas e o fluxo igualmente prolongado, de modo que a água deslocada escapa facilmente e não se opõe a nenhum obstáculo ao seu progresso.

O capitão prosseguiu:

– Quando o Náutilus está flutuando nessas condições, ele emerge um décimo. Caso eu disponha de reservatórios com uma capacidade igual a esse décimo, ou seja, com uma continência de cento e cinquenta toneladas e setenta e dois centésimos, e os encha com água, a embarcação, deslocando então mil quinhentas e sete toneladas, ou pesando-as, imergirá completamente. Esses reservatórios situam-se no calado, nas partes inferiores do Náutilus. Ao abrir as torneiras, os reservatórios se enchem, e, afundando um pouco, a embarcação aflora à superfície das águas.

– Que o senhor possa aflorar à superfície do oceano, compreendo. Contudo, mais embaixo, mergulhando além dessa superfície, seu aparelho submarino não irá encontrar pressão e, por conseguinte, sofrer um impulso de baixo para cima, que deve ser estimado em uma atmosfera para cada dez metros de água, ou seja, aproximadamente um quilograma por centímetro quadrado?

– Exatamente, professor.

– Assim sendo, a menos que encha completamente o Náutilus, não vejo como possa movê-lo em meio às massas líquidas.

O capitão explicou:

– Cuidado para não confundir estática com dinâmica, assim evitará cometer graves erros. Dispendemos pouco trabalho para alcançar as baixas regiões do oceano, pois os corpos tendem a tornar-se abissais. Acompanhe o meu raciocínio. Quando calculei o peso suplementar a ser acrescentado ao Náutilus a fim de imergi-lo, minha única preocupação foi com a redução de volume sofrida pela água do mar à medida que suas camadas vão ficando mais profundas.

– Naturalmente! – respondi.

– Se é verdade que a água não é absolutamente incompressível, nem por isso deixa de ser muito pouco compressível. Essa redução não passa de quatrocentos e trinta e seis milésimos por atmosfera, ou para cada dez metros de profundidade. Para descer a mil metros, levarei em conta a redução do volume sob uma pressão equivalente à de uma coluna d'água de mil metros, isto é, sob uma pressão de cem atmosferas. Então, essa redução será de quatrocentos e trinta e seis milésimos. Logo, devo aumentar o peso de maneira a pesar mil e quinhentas toneladas e setenta e sete centésimos, em vez de mil e quinhentas toneladas e dois décimos. Ou melhor, o aumento será de meras seis toneladas e cinquenta e sete centésimos.

– Só isso?

– Isso mesmo, professor Aronnax, e é uma conta fácil de fazer. Meus reservatórios suplementares têm uma capacidade de cem toneladas, o que significa que posso descer a profundidades consideráveis. Agora, se me aprouver subir e aflorar novamente à superfície, fazendo o Náutilus emergir um décimo de sua capacidade total, basta-me escoar essa água e esvaziar completamente todos os reservatórios.

A respeito desses raciocínios fundamentados em números, eu nada tinha a rebater:

– Aceito seus cálculos, capitão, contestá-los seria uma ofensa, uma vez que diariamente a experiência dá razão ao senhor. No entanto, vejo um problema à frente.

– Diga qual seria, professor?

– Quando o Náutilus está a mil metros de profundidade, suas paredes suportam uma pressão de cem atmosferas. Se nesse momento desejar esvaziar os reservatórios suplementares para tornar sua embarcação mais leve e subir à superfície, as válvulas terão de vencer essa pressão de cem atmosferas, a qual é de cem quilogramas por centímetro quadrado.

– Somente a eletricidade é capaz de me fornecer a força – apressou-se em dizer o capitão Nemo. – Repito, professor, a força dinâmica de meus motores é praticamente infinita. As válvulas do Náutilus detêm uma força prodigiosa, e o senhor deve ter visto, quando suas colunas d'água precipitaram-se como uma torrente sobre a Abraham Lincoln. Para poupar meus aparelhos, não recorro aos meus reservatórios suplementares senão quando preciso alcançar profundidades médias de mil e quinhentos a dois mil metros. Assim, quando me apraz visitar as profundezas do oceano de dez a quinze mil metros abaixo de sua superfície, executo manobras mais demoradas, porém não menos infalíveis.

– Quais, capitão? – perguntei.

– Isso evidentemente significa revelar como manobramos o Náutilus.

– Estou curioso para saber.

– Para dirigir esta embarcação para estibordo ou bombordo, para evoluir, em resumo, seguindo um plano horizontal, uso um leme comum com açafrão amplo, fixado na traseira do cadaste, impulsionado por uma roda e um sistema de polias. Também posso mover o Náutilus de baixo para cima e de cima para baixo, isto é, num plano vertical. Para isso, uso dois planos inclinados, fixados em seus flancos no centro de flutuação, planos móveis, capazes de trabalhar em qualquer posição e que são manobrados internamente por meio de alavancas poderosas. Esses planos são mantidos paralelos à embarcação, que se move horizontalmente. Quando inclinados, o Náutilus, sob o empuxo de sua hélice, ou imerge ou emerge, conforme o grau dessa inclinação e descrevendo a diagonal pretendida. Se quiser regressar um pouco mais rápido à superfície, é só engrenar a hélice para a pressão das águas fazer com que o Náutilus suba como um balão que, inflado pelo hidrogênio, ascendesse rapidamente aos céus.

– Bravo, capitão! Mas como o timoneiro no meio das águas pode seguir a rota que o senhor lhe determina? – perguntei.

– O timoneiro fica instalado numa cabine envidraçada, que se projeta na parte superior do casco do Náutilus e é equipada com vidros especiais.

– Vidros capazes de resistir a tais pressões?

– Perfeitamente. O cristal, apesar de frágil ao choque, oferece uma resistência considerável. Em experimentos de pesca com luz elétrica feitos em 1864, nos altos-mares do Norte, vimos placas dessa matéria, com uma espessura de apenas sete milímetros, resistir a uma pressão de dezesseis atmosferas, ao mesmo tempo em que deixava passar poderosos raios caloríficos que lhe distribuíam desigualmente o calor. Os vidros que uso não têm menos de vinte e um centímetros em seu centro, isto é, trinta vezes essa espessura.

– Admito, capitão Nemo. Mas, para enxergar, é preciso que a luz expulse as trevas, e me pergunto como, em meio à escuridão das águas...

– Atrás do compartimento do timoneiro está instalado um poderoso refletor elétrico, cujos raios iluminam o mar a um quilômetro de distância.

– Ah, bravo, três vezes bravo, capitão! Agora entendo a fosforescência do pretenso narval, que tanto intrigou os cientistas! A esse propósito, gostaria de saber se o abalroamento entre o Náutilus e o Scotia, que tanta celeuma causou, foi um mero acidente?

– Certamente, professor. Eu navegava dois metros abaixo da superfície das águas quando ocorreu o choque. Aliás, soube que não resultou em nenhuma avaria grave.

– Nenhuma. E quanto ao seu encontro com a Abraham Lincoln?

– Professor, senti grande pesar por um dos melhores navios da brava marinha americana, mas estava sendo atacado e tive de me defender! Contentei-me, todavia, em deixar a fragata fora de combate. Ela não terá dificuldade em reparar suas avarias no porto mais próximo.

– Ah, é realmente uma embarcação maravilhosa o seu Náutilus!

– Sim, professor, e amo-o como a carne de minha carne! Se tudo é perigo a bordo de um de seus navios submetidos aos caprichos do oceano, se, nesse mar, a primeira impressão é a sensação do abismo, como disse tão bem o holandês Jansen, abaixo dele e a bordo do Náutilus o coração do homem não tem mais nada a temer. Nenhuma deformação a recear, pois o duplo casco da embarcação possui a rigidez do ferro; nenhum massame que se fatigue pelo balanço ou a adernação; nenhuma vela a ser carregada pelo vento; nenhuma caldeira a ser rachada pelo vapor; nenhum incêndio a temer, uma vez que este aparelho é fabricado a partir de chapas metálicas, e não madeira; nenhum carvão que se esgote, uma vez que a eletricidade é seu agente mecânico; nenhum encontro a recear, uma vez que é o único a navegar em águas profundas; nenhuma tempestade a enfrentar, uma vez que desfruta, alguns metros abaixo da superfície, da tranquilidade absoluta!

Eis, professor, o navio por excelência! E, se é verdade que o engenheiro confia mais na embarcação que o construtor, e o construtor mais que o próprio capitão, imagine então a confiança que deposito no Náutilus, uma vez que dele sou ao mesmo tempo capitão, construtor e engenheiro!

O capitão Nemo falava com uma eloquência arrebatadora. O fogo de seu olhar e a paixão de seu gesto o transfiguravam. Sim! Ele amava seu navio como um pai ama o filho!

Não me contive e perguntei:

– Quer dizer que é engenheiro, capitão Nemo?

– Sim, professor. Estudei em Londres, Paris e Nova York, na época em que era um habitante dos continentes da Terra.

– Como conseguiu construir, em segredo, este admirável Náutilus?

– Cada uma de suas peças veio de um ponto diferente do globo e para uma destinação disfarçada. A quilha foi forjada no Creusot, o eixo da hélice na Pen e Cia., de Londres; as placas de ferro do casco na Leard, de Liverpool; a hélice na Scott, de Glasgow. Os reservatórios foram fabricados pela Cail e Cia., de Paris; o motor pela Krupp, na Prússia; o esporão nas oficinas de Motala, na Suécia; os instrumentos de precisão nos Irmãos Hart, de Nova York etc. Detalhe: cada um desses fornecedores recebeu meus planos sob nomes diversos.

– Mas era preciso montar, encaixar as peças fabricadas dessa forma... – observei.

– Professor, instalei minhas oficinas num rochedo deserto no meio do oceano. Ali, eu e meus operários, isto é, meus bravos companheiros, a quem instruí e formei, realizamos o nosso Náutilus. Em seguida, concluída a operação, o fogo destruiu todos os vestígios de nossa passagem por esse rochedo, que eu teria explodido, se pudesse!

– Acredito que esta embarcação custou uma fortuna?

– Professor, um navio de ferro custa mil cento e vinte e cinco francos a tonelada. O Náutilus tem uma tonelagem de mil e quinhentas. O que dá um milhão quatrocentos e vinte e sete mil francos, arredondando, dois milhões se incluirmos suas instalações, acrescentando mais um pouco, quatro ou cinco milhões com as obras de arte e coleções de seu acervo.

– Uma última pergunta, capitão Nemo.
– Pode perguntar, professor.
– Quer dizer que é rico?
– Rico ao infinito, professor, e poderia, sem dó, pagar os dez bilhões da dívida da França!

Observei demoradamente o excêntrico personagem que se expressava daquela forma. O capitão estaria zombando de minha credulidade? O futuro me diria.

Capítulo 14
A corrente do rio Negro

O oceano Pacífico estende-se de norte a sul, entre os dois círculos polares, e a leste e oeste, entre a Ásia e a América, numa extensão de cento e quarenta e cinco graus de longitude. É o mais tranquilo dos mares, com correntes largas e lentas, marés fracas e chuvas abundantes. Era este o oceano que o destino me levava a percorrer nas mais estranhas condições.

O capitão Nemo deu as ordens:

– Vamos determinar precisamente a nossa posição e fixarmos o ponto de partida desta viagem. São onze horas e quarenta e cinco minutos. Vou manobrar para emergir.

Ele apertou três vezes uma campainha elétrica e as bombas começaram a expulsar a água dos reservatórios; o ponteiro do manômetro indicou, pela pressão, o movimento ascensional do Náutilus e depois parou.

– Chegamos! – avisou o capitão.

Segui até a escada central que conduzia à plataforma. Subi os degraus de metal e pelos alçapões abertos cheguei à parte superior do submarino. Munido do seu sextante o capitão Nemo mediu a altura do sol, que devia fornecer a latitude. Esperou alguns minutos para que o astro chegasse à linha do horizonte. Enquanto procedia a estas observações, nem um só músculo mexia em seu corpo, e o instrumento não estaria mais imóvel se fosse seguro por uma mão de mármore.

– É meio-dia – disse. – Quando quiser...

Lancei um último olhar àquele mar amarelado, próximo de terras japonesas, e desci ao salão.

Naquele ponto, o capitão calculou cronometricamente a longitude, que verificou com observações procedentes dos ângulos solares. Depois, disse precisamente:

– Sr. Aronnax, estamos a cento e trinta e sete graus e quinze minutos de longitude oeste.

– De que meridiano? – perguntei à espera que a sua resposta talvez revelasse a sua nacionalidade.

– Professor – respondeu –, tenho cronômetros regulados pelos meridianos de Paris, de Greenwich, e de Washington. Em sua honra, vou usar o de Paris.

Esta resposta nada me revelou. Fiz um aceno com a cabeça e o capitão continuou:

– Exatamente trinta e sete graus e quinze minutos de longitude a oeste do meridiano de Paris e trinta graus e sete minutos de latitude norte, isto é, estamos a aproximadamente quinhentos quilômetros das costas do Japão. Hoje, dia 8 de novembro ao meio-dia, iniciamos a nossa viagem de exploração submarina.

Que Deus nos proteja! – pedi.

– Agora, professor, peço-lhe licença para me retirar.

Cumprimentou-me e saiu. Fiquei só, absorto em meus pensamentos dirigidos para aquele estranho comandante. Descobriria um dia a que país pertencia aquele homem que se vangloriava de não pertencer a país nenhum? Aquele ódio que ele nutria pela humanidade, aquele ódio que talvez procurasse uma vingança, quem o teria provocado? Seria ele um desses sábios desconhecidos, um desses gênios aos quais se fez uma ofensa?

Absorto em meus pensamentos, só percebi a presença de meus dois companheiros quando Ned Land começou a perguntar sobre a minha entrevista com o capitão Nemo. Ele queria saber se eu tinha descoberto quem era o capitão, de onde vinha, para onde ia, para que profundezas nos arrastava.

Contei a ele tudo o que eu sabia, ou melhor, tudo o que não sabia. Igualmente, perguntei ao canadense o que tinha podido observar.

– Nada. Não vi nada – respondeu. – Nem sequer vi a tripulação do navio. Será que também é elétrica?

– Elétrica?

– Estou começando a crer que sim. Mas o senhor nem tem ideia de quantos homens há a bordo? Dez, cinquenta, cem?

– Não sei informar, Land. De qualquer maneira, você deve abandonar, por hora, a ideia de se apoderar do Náutilus e fugir. Este navio é uma obra-prima da indústria moderna e eu lamentaria perder a oportunidade de conhecê-lo. Muita gente aceitaria a situação em que nos encontramos só para poder passear no meio dessas maravilhas. Assim, procure manter-se calmo e vamos continuar a observar o que se passa à nossa volta.

Capítulo 15

Um convite por carta

Dormi muito bem! No dia seguinte, 9 de novembro, só acordei após doze longas horas de sono. Conselho, como habitualmente, quis saber como eu havia passado a noite e perguntar se eu precisava de alguma coisa. O canadense continuava dormindo.

Assim que me vesti, fui até o salão onde esperava encontrar o capitão Nemo. Não havia ninguém. Então, passei para o museu da fauna submarina e lá permaneci por muito tempo, apreciando aqueles tesouros guardados em vitrines. E pude verificar que a rota do Náutilus continuava a mesma e que navegávamos a uma velocidade de vinte quilômetros, a uma profundidade entre cinquenta e sessenta metros.

O dia se passou sem que eu tivesse a honra de receber a visita do capitão Nemo. O mesmo aconteceu no dia seguinte, 10 de novembro, ou seja, não vi ninguém da tripulação. Ned Land e Conselho passaram a maior parte do dia comigo, igualmente surpreendidos com a ausência do capitão.

Todavia, gozávamos de inteira liberdade e tínhamos alimentos com abundância. O nosso hospedeiro cumpria a sua promessa. Aproveitei a solidão para começar a escrever o diário dessas aventuras, o que me permite contá-las com a maior exatidão. Vale destacar que eu fazia minhas anotações num papel fabricado com sargaço marinho.

Na manhã do dia 11 de novembro, o ar fresco que invadiu o interior do Náutilus revelou que tínhamos subido à superfície. Segui para a escada central e subi à plataforma. Eram seis horas. O tempo estava nublado, o mar cinzento, mas calmo e quase sem ondulação.

Enquanto admirava aquele radioso nascer do sol, senti alguém subindo a escada para a plataforma. Pensei que fosse cumprimentar o capitão Nemo, mas quem apareceu foi o imediato. Percorreu a plataforma, ignorando a minha presença. Observou todos os pontos do horizonte com extrema atenção. Em seguida, se dirigiu para o alçapão pronunciando uma frase que já havia guardado, porque ele a repetia todas as manhãs em que me encontrava na plataforma: *Nautron respoc loni virch*! Assim que dizia estas palavras, ele ia embora. Eu continuava sem saber o significado dessa frase.

Mais cinco dias se passaram sem que a situação se alterasse, ou seja, o capitão não apareceu e, ao subir todas as manhãs à plataforma, eu ouvia a mesma frase pronunciada pelo Imediato.

No dia 16 de novembro, ao entrar no meu quarto com Ned Land e Conselho, uma surpresa: havia sobre a mesa um bilhete do capitão Nemo. Era um convite para que nós três o acompanhássemos em uma caçada às suas florestas da ilha Crespo.

– Uma caçada! – disse Ned Land admirado. – Então o capitão pretende ir à terra – acrescentou.

– Tudo indica que sim – confirmei, relendo o convite.

O canadense opinou:

– Temos de aceitar o convite dele. Uma vez em terra firme, decidiremos o que vamos fazer. Por outro lado, não me importa nada de comer um pedaço de carne fresca.

Decidimos aceitar o convite do capitão. Ned Land e Conselho se retiraram e o criado de bordo apareceu logo para me servir o jantar. Deitei-me mais cedo e adormeci um pouco preocupado com Ned Land e a caçada para a qual fomos convidados.

No dia seguinte, 17 de novembro, ao acordar senti que o Náutilus estava completamente parado. Vesti-me rapidamente e fui para o grande salão. O capitão estava à minha espera e, após nos cumprimentarmos, me perguntou se aceitamos o convite da caçada. Confirmei nossa companhia. Quanto ao seu sumiço dos últimos dias, não tocamos no assunto. Mas perguntei a ele sobre suas florestas:

– Capitão, como é possível ter florestas na ilha Crespo, se afirma ter cortado todos os seus contatos com a terra?

– As minhas florestas, professor, dispensam luz e calor do sol. Não há leões, tigres e panteras. Ninguém as conhece. Não são florestas terrestres, mas submarinas.

– Florestas submarinas!

– Isso mesmo, professor.

– E quer nos levar para caçar nelas?

– Sim! De espingarda na mão e a pé seco, professor.

O comandante do Náutilus está louco, pensei. Deve ter tido um ataque de loucura, o que explica o seu desaparecimento na última semana. Enquanto pensava e tirava minhas conclusões, ele me olhava com um leve sorriso e disse:

– Por convidá-lo a ir caçar comigo nas minhas florestas da ilha Crespo, o senhor julgou que eu estaria em contradição com as minhas convicções e que estou louco.

– Mas capitão...

– O professor sabe tão bem quanto eu que o homem pode viver debaixo da água desde que leve consigo uma provisão de ar respirável.

– Sim, usando escafandros.

Em seguida, o capitão Nemo explicou:

– Acontece que esses aparelhos existentes na terra ainda são muito imperfeitos e dependem do fornecimento de ar através de um tubo apropriado que os liga à superfície. Esse sistema tolhe a liberdade do homem sob a água porque ele está preso à terra. Se tivéssemos que ficar ligados por esse cordão umbilical ao Náutilus, não poderíamos ir longe.

– Capitão, como ficar livre e poder ir longe?

– Basta ter o aparelho Rouquayrol-Denayrouze, inventado por dois franceses e aperfeiçoado para meu uso. O meu aparelho é composto por um reservatório de espessa chapa de ferro, dentro do qual armazeno o ar a uma pressão de cinquenta atmosferas. Este reservatório é fixo às costas por meio de correias, como a mochila de um soldado. Como tenho de suportar enormes pressões no fundo dos mares, tive de proteger a cabeça, como os escafandristas, dentro de uma esfera de cobre, na qual vão dar os dois tubos para inspiração e expiração.

– Tudo bem, capitão. Agora, o ar que transporta consigo deve esgotar-se rapidamente.

– Tem razão, mas as bombas do Náutilus me permitem armazená-la a uma pressão considerável. Nessas condições, o reservatório do aparelho pode fornecer ar respirável durante nove ou dez horas.

– Só mais uma dúvida: como ilumina o caminho no fundo do oceano?

– Com o aparelho Ruhmkorff que levo preso à cintura. É composto por uma pilha de Bunzen, que ativo com sódio e consigo uma luz esbranquiçada e contínua.

– Apesar de suas respostas serem convincentes, ainda preciso de esclarecimentos sobre as espingardas que usa nessas caçadas.

– Trata-se de uma arma que não usa a pólvora. As minhas espingardas funcionam com ar comprimido que as bombas do Náutilus me fornecem abundantemente.

– Mas esse ar deve acabar rápido.

– Sem problema, pois tenho o reservatório Rouquayrol que pode, se necessário, fornecê-lo. Preciso apenas de uma torneira auxiliar. Aliás, o senhor poderá constatar que, nessas caçadas submarinas, se gasta pouco ar, além de poucas balas.

– Sem mais objeções, capitão. Só me resta pegar na espingarda e acompanhá-lo.

Finalmente, o capitão Nemo conduziu-me para a proa do Náutilus. E Ned Land e Conselho nos seguiram. Ao chegarmos a um compartimento situado a bombordo, perto da casa das máquinas, vestimos as nossas roupas de passeio submarino.

Capítulo 16
Passeio na planície

Esse compartimento era o arsenal e o vestiário do Náutilus. Havia pelo menos uma dúzia de escafandros suspensos na parede. Assim que os viu, Ned Land resistiu em vestir aquela roupa.

– Mas, meu caro Ned, precisamos dessa vestimenta para caçar em florestas submarinas – tentei convencê-lo.

– Recuso a entrar numa coisa dessas, a não ser que me obriguem – declarou ele, categórico.

– Ninguém o forçará, mestre Ned – garantiu o capitão.

– Quanto a mim, sigo o professor por toda a parte – disse Conselho, o meu fiel criado.

Dois homens a serviço do capitão nos ajudaram a vestir aquelas pesadas roupas impermeáveis, feitas de borracha sem costura e preparadas para resistir a altas pressões.

O capitão Nemo, um dos seus homens (uma espécie de Hércules que devia ter uma força prodigiosa) Conselho e eu, vestimos os nossos escafandros. Faltava apenas encaixarmos a cabeça nas esferas metálicas. Antes disso, pedi ao capitão para ver as espingardas disponíveis. Um dos tripulantes trouxe uma delas.

– Capitão Nemo, esta arma é perfeita e de manejo fácil. Estou ansioso para experimentá-la. Como vamos até o fundo do mar?

– Neste momento, professor, o Náutilus está encalhado e por isso só nos resta partir.

Com a lanterna Ruhmkorff à cintura e a espingarda na mão, eu estava pronto para a aventura. Engessado dentro daquelas roupas pesadas e colado ao chão pelos sapatos de chumbo, julguei ser impossível dar um passo. De repente, senti que me empurravam para um pequeno compartimento, próximo ao vestiário, no qual fui seguido pelos meus companheiros. Ouvi uma porta fechar-se hermeticamente atrás de nós e fomos envolvidos por uma densa escuridão.

Em seguida, ouvi um forte silvo, ao mesmo tempo que sentia um frio subir dos pés ao peito. Era evidente que, por meio de uma torneira, tinham dado entrada à água que invadia o compartimento. Uma segunda porta no costado do Náutilus abriu-se então e vimos uma certa claridade. Um instante depois, pisamos no fundo do mar.

O capitão Nemo ia à frente, enquanto o seu companheiro nos seguia a alguns passos de distância. Conselho e eu íamos bem juntos, como se fosse possível conversar através de nossas carapaças metálicas. Fiquei surpreso com a intensidade da luz do sol que iluminava as águas até dez metros de profundidade. Os raios solares atravessavam aquela massa líquida, atenuando a coloração.

Andamos sobre uma areia fina, uniforme, macia. Aquele tapete extraordinário, verdadeiro refletor, reproduzia os raios solares numa intensa reverberação que penetrava todas as moléculas líquidas. Esse fenômeno era incrível no fundo do oceano: podia se ver tão bem como em pleno dia.

Avançamos por uma vasta planície que parecia não ter limites. Eu afastava com a mão as cortinas líquidas, que se tornavam a fechar atrás de mim, e o vestígio dos meus passos logo desaparecia sob a pressão da água. Surgiram algumas silhuetas de objetos, que eu mal distinguia à distância.

Às dez horas da manhã, os raios solares batiam na superfície das águas e formavam um ângulo bem oblíquo. Ao contato da luz, decomposta pela refração como através de um prisma, flores, rochedos, plantas, conchas e pólipos matizavam-se com as sete cores do espectro solar. Um espetáculo! Eu me sentia mal por pisar nos belos espécimes de moluscos que juncavam o solo. Os pentes concêntricos, os martelos, as donácias, verdadeiras conchas saltitantes, os troques, os capacetes vermelhos, os moluscos asa-de-anjo, e tantos outros exemplares daquele mar inesgotável. Era preciso continuar o passeio.

Havíamos deixado o Náutilus há cerca de hora e meia. Era quase meio-dia, fato que percebi pela perpendicularidade dos raios solares, que já não se refratavam. A magia das cores desapareceu pouco a pouco, e as tonalidades de esmeralda e de safira dissiparam-se do nosso horizonte. Caminhamos a passo regular, que se ouvia com surpreendente nitidez.

O solo começou a inclinar-se numa encosta pronunciada. A luz tomou uma cor uniforme. Atingimos uma profundidade de cem metros, suportando uma pressão de dez atmosferas. Porém, nem sentia essa pressão, somente uma certa dificuldade para mexer as articulações dos dedos, o que também não tardou a desaparecer. Apesar de uma viagem de duas horas, vestido com uma roupa a que não estava habituado, não me senti nem um pouco cansado. O contato com a água facilitava os meus movimentos.

Ao chegar à profundidade de cerca de noventa metros, ainda via os raios solares, embora já muito fracos. Ao brilho intenso tinha sucedido um crepúsculo avermelhado, meio termo entre o dia e a noite. Mesmo assim, ainda víamos o suficiente para caminharmos, a ponto de nem precisarmos acender os aparelhos Ruhmkorff.

O capitão Nemo parou e, pacientemente, esperou que eu chegasse junto dele. E apontou-me umas massas obscuras que se avistavam a pouca distância. É a floresta da ilha Crespo, pensei. Eu estava certo.

Capítulo 17
Uma floresta submarina

Eis a floresta! Uma das mais belas do imenso domínio do capitão Nemo. Ele a considerava sua e julgava ter sobre ela os mesmos direitos que tinham os homens primitivos na alvorada da humanidade. Aliás, quem iria disputar aquela propriedade submarina? Que outro pioneiro mais ousado, viria, de machado na mão, cortar a mata?

Assim que chegamos à floresta, penetramos debaixo das ramagens das grandes plantas arborescentes. Eu me senti atraído pela estranha disposição dos ramos, a qual nunca tinha visto nas florestas da superfície terrestre.

Curiosamente, nenhuma erva ou ramo dos arbustos se enroscava ou se estendia num plano horizontal: tudo subia para a superfície do mar. Não havia um filamento, uma fita, por mais delgada que fosse, que não se mantivesse direita como um fio de ferro. Notei também que todos os espécimes do reino vegetal estavam presos ao solo apenas por uma ligação superficial. Desprovidas de raízes, indiferentes ao corpo sólido, areia, concha ou pedra, todas as plantas se mantinham vivas e independentes de vitalidade. Essas plantas provêm de si mesmas e o princípio de sua existência está na água, que as sustenta e alimenta.

Ao sinal do capitão Nemo, paramos por volta de uma hora. Deitamos debaixo de uma árvore, cujos longos e estreitos ramos se erguiam como flechas. Depois de quatro horas de caminhada, não sentia fome. Em contrapartida, sentia uma irresistível vontade de dormir, como é comum aos mergulhadores. Logo fechei os olhos por trás do espesso vidro e mergulhei num sono profundo. O mesmo aconteceu com o capitão Nemo e o seu robusto companheiro, estendidos naquele líquido cristalino.

Impossível precisar por quanto tempo permaneci naquela letargia. Ao acordar, o sol se punha no horizonte e o capitão já estava acordado. Enquanto começava a esticar e animar os membros, levei um susto ao ver, a uma pequena distância, uma monstruosa aranha do mar, com um metro de altura. Ela estava prestes a me atacar. Embora o meu escafandro fosse suficientemente espesso para me defender contra as mordeduras da aranha, fiquei horrorizado. O capitão Nemo apontou ao seu companheiro o hediondo animal, que foi imediatamente abatido com uma coronhada. As patas do monstro contorcerem-se em convulsões terríveis.

A partir desse episódio, presumi que outros animais ainda mais temíveis habitavam aquelas profundidades e que o meu escafandro não me protegeria contra os ataques. Assim, passei a ter mais cuidado.

Por volta das quatro horas, a atraente e desafiante excursão chegou ao fim. Erguia-se diante de nós uma muralha de rochas soberbas, blocos gigantescos, enorme falésia de granito com grutas obscuras, mas sem nenhum caminho praticável. Eram as escarpas da ilha Crespo. Era a terra.

O capitão parou e pediu que não ultrapassássemos aquele ponto, pois ali terminava o seu domínio. Ele insistia em não tornar a pisar na outra parte do globo terrestre.

Ao andarmos calmamente de volta ao Náutilus, vi o capitão Nemo apontar a arma e seguir um vulto móvel entre os arbustos. Assim que atirou a bala, ouvi um fraco silvo e um animal caiu fulminado a alguns passos de nós. Era uma magnífica lontra do mar, o único quadrúpede exclusivamente marinho. O companheiro do capitão apanhou o animal, colocou-o sobre os ombros e continuamos a caminhar.

Durante duas horas atravessamos, ora planícies arenosas ora pradarias de sargaço, muito difíceis de andar nelas. Francamente estava exausto, quando avistei uma luz fraca a cerca de um quilômetro, rompendo a obscuridade das águas. Era o farol do Náutilus, que significava a proximidade do descanso.

Acontece que eu tinha ficado uns vinte passos para trás, mas percebi o capitão Nemo retroceder em minha direção. Com a sua mão forte atirou-me ao chão, enquanto o seu companheiro fez o mesmo ao meu criado. A princípio, não entendi o porquê daquele ataque brusco, mas me acalmei ao ver que o capitão estava imóvel e deitado ao meu lado. Ficamos estendidos no solo e abrigados por uma moita de sargaços até que, ao levantar a cabeça, vi duas enormes massas que passavam ruidosamente, lançando clarões fosforescentes.

O sangue gelou nas minhas veias ao reconhecer os enormes esqualos que nos ameaçavam. Era um par de tintureiras, terríveis tubarões, com cauda comprida, olhar vítreo, que expelem uma matéria fosforescente pelos orifícios do focinho. Animais monstruosos, que podem triturar um homem com os seus maxilares de ferro.

Como esses vorazes animais têm uma visão muito fraca, passaram por nós sem perceber nossa presença. Apenas nos roçaram com as suas barbatanas negras. Felizmente escapamos como que por milagre àquele grande perigo, certamente maior do que num encontro com um tigre das florestas terrestres.

Exatos três minutos depois, orientados pelo foco elétrico, entramos no Náutilus.

Capítulo 18

Sob o Pacífico

Na manhã seguinte, dia 18 de novembro, já refeito do cansaço da véspera, subi à plataforma no momento em que o imediato pronunciava a sua frase quotidiana: *Nautron respoc loni virch).* Deduzi que ele se referia ao estado do mar e que as suas palavras significavam "Nada à vista!"

O capitão Nemo apareceu no momento em que eu admirava o magnífico aspecto do oceano. Tive a impressão de que ele não me viu. Notei que o capitão fez uma série de observações técnicas e, depois, encostou-se ao farol com seu olhar perdido no horizonte.

Por outro lado, havia na plataforma uns vinte marinheiros do Náutilus, todos eles homens fortes e bem constituídos, puxando as redes lançadas durante a noite. Percebi que os homens eram procedentes de nações diferentes, embora o tipo europeu fosse comum a todos. Reconheci irlandeses, franceses, alguns escandinavos e um grego. Aliás, esses homens eram muito discretos e só falavam aquele estranho idioma, cuja origem nem suspeitava. Por isso, desisti de chegar até eles para conversar.

As redes foram içadas para bordo. Calculei que tinham trazido uns quinhentos quilos de peixes. Terminada a pesca e renovada a provisão de ar, pensei que o Náutilus iria continuar a sua excursão submarina. Assim sendo, me preparava para descer ao meu quarto. Bem nessa hora, o capitão Nemo se aproximou e disse:

– Veja este oceano, professor. Não é dotado de uma vida real? Não tem as suas iras e ternuras? Ontem adormeceu como nós, e agora desperta após uma noite de calmaria.

Nenhum cumprimento! Parecia que aquele estranho homem reatava uma conversa suspensa poucos minutos antes. Ele continuou falando:

– Repare: desperta com as carícias do sol. Vai reviver a sua existência diurna. É um estudo interessante seguir o funcionamento do seu organismo. Possui pulso, artérias, espasmos e dou razão ao sábio Maury, que descobriu no mar uma circulação tão real como a circulação sanguínea nos animais.

Certamente, o capitão Nemo não esperava que eu fizesse qualquer comentário. Após uma breve pausa, ele continuou:

– Existe uma quantidade considerável de sais no mar. Se extraíssem todos os sais que o mar contém em suspensão, obteríamos uma massa de aproximadamente quinhentos milhões de quilômetros cúbicos. Essa massa, espalhada no globo terrestre, formaria uma camada com mais de dez metros de altura. E não pense que a presença desses sais se deve a um capricho da natureza. Não! Tornam as águas marinhas menos evaporáveis e impedem o vento de lhes roubar uma quantidade demasiado grande de vapores que, ao se liquefazerem, submergiriam as zonas temperadas. Papel importante e imenso, papel moderador na economia geral do globo terrestre.

Ao se expressar, o capitão Nemo transfigurava-se, o que me deixava profundamente emocionado.

E prosseguiu:

– Aqui existe a verdadeira vida. Imagine a fundação de cidades aquáticas, de aglomerados de casas submarinas que, como o Náutilus, subissem todas as manhãs à superfície dos mares para respirar. Cidades livres, cidades independentes! E daí, talvez algum tirano...

O capitão Nemo disse essas últimas palavras e fez um gesto violento. Depois, como que para afastar algum pensamento mortal, perguntou-me:

– O professor sabe qual é a profundidade média dos oceanos?

– Estou a par somente das últimas sondagens, que revelaram uma profundidade média de oito mil e duzentos metros no Atlântico Norte e de dois mil e quinhentos metros no Mediterrâneo. As sondagens mais importantes foram feitas no Atlântico Sul, perto do trigésimo quinto grau, e registraram doze mil metros, quatorze mil e noventa e um metros e quinze mil e cento e quarenta e nove metros. Resumindo, calcula-se que, se o fundo do mar fosse uniforme, teria uma profundidade média de cerca de sete quilômetros.

– Pretendo apresentar ao senhor dados mais precisos. Quanto à profundidade média desta zona do Pacífico, garanto que é de apenas quatro mil metros – acrescentou o capitão Nemo.

Depois, dirigiu-se para o alçapão e desapareceu pela escada. Eu o segui e fui para o salão. A hélice entrou imediatamente em movimento e o navio atingiu uma velocidade de cerca de trinta quilômetros por hora.

Nas semanas seguintes, eu o vi muito raramente. O imediato fazia o ponto de nossa posição todos os dias e o assinalava no mapa. Dessa forma, eu podia acompanhar a rota do Náutilus.

Eu passava horas conversando com Conselho e Land. Ao voltarmos da nossa viagem com o capitão, Conselho contou ao canadense as maravilhas que vimos e as experiências vividas no oceano. Ele lamentou não ter ido ao passeio. Para seu consolo, diariamente, durante algumas horas, os painéis do salão se abriam e mostravam os mistérios do mundo submarino.

No dia 26 de novembro, às três horas da manhã, o Náutilus chegou ao Trópico de Câncer, a cento e setenta e dois graus de longitude. No dia seguinte, passou pelas ilhas Sandwich, onde o ilustre capitão Cook encontrou a morte no dia 14 de fevereiro de 1779. Tínhamos percorrido mais de vinte e três mil quilômetros desde a partida.

De manhã, quando subi à plataforma, avistei, a mais ou menos três quilômetros na mesma direção que o vento sopra, o Havaí, a maior das sete ilhas que formam o arquipélago do mesmo nome.

A direção do Náutilus mantinha-se para sueste. Passou o Equador no dia 1º de dezembro, a 142° de longitude, e no dia 4 do mesmo mês, após uma rápida travessia que decorreu sem qualquer incidente, avistamos o grupo das ilhas Marquesas. Distingui a cerca de cinco quilômetros, a 80º 57' de latitude sul e 139º 32' de longitude oeste, a ponta Martin, de Nouka Hiva, a ilha principal deste grupo, que pertence à França. Vi apenas as montanhas cobertas de arvoredo, que se desenhavam no horizonte, porque o capitão Nemo detestava se aproximar de terra.

Após ter deixado essas ilhas paradisíacas, protegidas pela bandeira francesa, o Náutilus percorreu, do dia 4 ao dia 11 de dezembro, cerca de três mil quilômetros. Passei o dia 11 de dezembro lendo no grande salão. Ned Land e Conselho observavam as águas luminosas através dos painéis entreabertos. O Náutilus estava agora parado. Com os reservatórios cheios, conservava-se a uma profundidade de mil metros, região pouco habitada, onde os peixes de grande porte apareciam de vez em quando.

Eu lia o encantador livro *Les serviteurs de l'estomac*, de Jean Macé, apreciando as suas engenhosas lições, quando Conselho me interrompeu:

– Desculpe-me, professor, mas venha ver isso aqui.

Levantei-me, aproximei-me do vidro e olhei pelo painel.

Iluminada pela luz elétrica, uma enorme massa escura e imóvel mantinha-se suspensa no meio das águas. Observei-a atentamente, tentando reconhecer a natureza do gigantesco cetáceo. E arrisquei:

– É um navio! – exclamei.

– Sim – confirmou o canadense. – Um navio que naufragou.

À nossa frente havia um navio, cujos cabos cortados pendiam ainda das respectivas cadeias. O casco parecia estar em bom estado e o naufrágio devia ter ocorrido poucas horas antes. Três pedaços de mastros, cortados pouco mais de meio metros acima do convés, indicavam que o navio foi forçado a sacrificar a mastreação. Mas, ao inclinar-se do lado esquerdo, encheu de água e afundou.

Lamentável ver aquela carcaça perdida nas águas. Mais chocante era ver os cadáveres no convés, amarrados por cordas. Vi quatro homens, um dos quais se mantinha de pé, preso ao leme, e uma mulher meio saída pela claraboia do tombadilho, segurando uma criança nos braços. Era uma mulher jovem, pois foi possível ver claramente as feições iluminadas pelo farol do Náutilus. Num esforço supremo, ela tinha erguido o filho acima da cabeça.

A postura dos quatro marinheiros era assustadora, contorcendo-se em movimentos convulsivos, fazendo um derradeiro esforço para se libertarem das cordas que os prendiam ao navio. Com uma expressão mais calma e séria, cabelos grisalhos colados à testa e as mãos crispadas no leme, o timoneiro parecia ainda conduzir o seu navio naufragado através das profundezas do oceano.

Que trágico espetáculo! Ficamos mudos, paralisados e com os corações acelerados diante daquele naufrágio recente e registrado nos seus momentos derradeiros. Infelizmente, enormes esqualos já avançavam sobre os corpos.

O Náutilus deu uma volta ao navio submerso. Assim, pude ler na ré: Flórida, Sunderland.

Capítulo 19
Vanikoro

Esse terrível acidente abriu a série de catástrofes marítimas que o Náutilus iria encontrar em sua rota. Desde que começamos a navegar por mares bem frequentados, vimos por diversas vezes cascos naufragados que acabavam por apodrecer entre suas águas. À maior profundidade vimos canhões, balas, âncoras, correntes e mil outros objetos de ferro sendo corroídos pela ferrugem.

Sempre conduzidos pelo Náutilus, onde vivíamos isolados, avistamos, no dia 11 de dezembro, o Arquipélago Pomotu, antigo grupo perigoso de Bougainville. Esse arquipélago cobre uma superfície de seis mil e quinhentos quilômetros quadrados e é formado por sessenta grupos de ilhas, entre as quais se destaca o grupo Gambier, ao qual a França impôs o seu protetorado. Um crescimento, lento mas contínuo dessas ilhas coralíneas, há de um dia ligá-las entre si. Depois, esta ilha irá unir-se aos arquipélagos vizinhos, e surgirá um quinto continente que se estenderá desde a Nova Zelândia e a Nova Caledònia até as ilhas Marquesas.

No dia em que apresentei esta minha teoria ao capitão Nemo, ele me respondeu, friamente:

– Não é de novos continentes que a terra precisa, professor, mas de novos homens!

No dia 15 de dezembro deixamos para leste o encantador arquipélago da Sociedade e a graciosa Taiti, rainha do Pacífico. De manhã, avistei os cumes elevados desta ilha. As suas águas forneceram para a mesa de bordo excelentes peixes, tais como cavalas, bonitos, albacoras e algumas variedades de uma serpente do mar chamada *munérophis*.

O Náutilus já havia navegado mais de treze mil quilômetros. Quinze mil e seiscentos quilômetros era o total percorrido quando passou entre o Arquipélago Tonga-Tabu, onde foram destruídos os equipamentos do Argo, do Port-au-Prince e do Dulce of Portland, e o Arquipélago dos Navegadores, onde foi morto o capitão Langle, amigo de La Pérouse. A seguir passou perto do Arquipélago Viti, onde os nativos chacinaram os marinheiros do Union e o capitão Bureau, de Nantes, comandante do Aimable Joséphine.

Esse arquipélago prolonga-se por uma extensão de quatrocentos e oitenta e três quilômetros, de norte para o sul, e de quatrocentos e trinta quilômetros de leste para oeste, e está compreendido entre 6° e 2° de latitude sul e 174° e 179° de longitude oeste. É composto por um certo número de ilhas, ilhotas e recifes, entre os quais se destacam as ilhas Viti-Levu, Vanua-Levu e Kandubon.

Tasman foi quem descobriu o arquipélago, em 1643, o mesmo ano em que Torricelli inventou o barômetro e Luís XIV subiu ao trono da França. Qual desses acontecimentos foi mais útil à humanidade? Vieram a seguir: Cook, em 1714; d'Entrecasteaux, em 1793; e, finalmente, Dumont d'Urville, em 1827, que decifrou todo o caos geográfico do arquipélago.

O Náutilus aproximou-se da baía de Wailea, cenário das terríveis aventuras do capitão Dillon, o primeiro homem que conseguiu esclarecer o mistério do naufrágio de La Pérouse.

No dia 25 de dezembro, navegava o Náutilus no meio do arquipélago das Novas Hébridas, que Queirós descobriu em 1606, que Bougainville explorou em 1768 e ao qual Cook deu, em 1773, o nome atual. Era dia de Natal. Ned Land lamentou a não-celebração, a bordo do Náutilus, do Christmas, da grandiosa festa de família, pela qual os protestantes têm muito respeito.

Após oito dias ausente, o capitão Nemo reapareceu na manhã do dia 27. Eu estava no salão entretido em seguir no planisfério a rota do Náutilus. Ele se aproximou, indicou um ponto no mapa e pronunciou uma única palavra – Vanikoro.

Essa palavra mágica era o nome das ilhotas onde haviam naufragado os navios de La Pérouse. Levantei-me interessado e perguntei – O Náutilus ruma para Vanikoro?

O capitão respondeu que sim. Aproveitei e consultei-o se poderia visitar as célebres ilhas onde se despedaçaram o Bússola e o Astrolábio.

– Certamente, professor – respondeu o capitão.

– E falta muito para chegarmos lá?

– Estamos em Vanikoro!

Seguido pelo capitão Nemo, subi à plataforma de onde observei avidamente o horizonte. O capitão se aproximou e me perguntou o que eu sabia sobre o naufrágio de La Pérouse.

– O que todo mundo sabe! – respondi.

Ironicamente, retrucou:

– E pode dizer-me o que todo mundo sabe?

– Com todo o prazer, capitão.

Descrevi as informações dos últimos trabalhos de Dumont d'Urville.

Em 1785, La Pérouse e o seu imediato, o capitão De Langle, receberam ordens de Luís XVI para fazerem uma viagem de circunavegação. Partiram nas corvetas Bússola e Astrolábio, que nunca mais regressaram. Em 1791, o governo francês, justamente alarmado com o destino dos dois navios, armou duas grandes embarcações, a Recherche e a Espérance, que zarparam de Brest no dia 28 de setembro, sob o comando de d'Entrecasteaux.

Dois meses depois, conforme declarações de um tal Bowen, comandante da Albermale, noticiou-se que haviam sido avistados destroços de navios naufragados junto das costas da Nova Geórgia. Mas d'Entrecasteaux, ignorando essas informações imprecisas, dirigiu-se para as ilhas do Almirantado, apontadas como sendo o local do naufrágio de La Pérouse num relatório do capitão Hunter. As suas buscas foram improdutivas. A Espérance e a Recherche passaram ao largo de Vanikoro, sem se deterem. Resultado: a missão foi um fracasso, tendo custado a vida de d'Entrecasteaux, a de dois dos seus imediatos, assim como a de vários membros da tripulação.

Coube a um velho lobo-do-mar, o capitão Dillon, a primeira descoberta dos vestígios indiscutíveis dos naufragados. No dia 15 de maio de 1824, o seu navio, o Saint-Patrick, passou perto da ilha Tikopia, uma das Novas Hébridas. Lá foi abordado por um nativo numa canoa, que lhe vendeu um punho de espada, de prata, que tinha sinais de caracteres gravados com buril. O nativo informou ainda que seis anos antes, durante uma sua estada em Vanikoro, tinha visto dois europeus que pertenciam a navios naufragados há muitos anos nos recifes da ilha. Dillon deduziu que se tratava dos navios de La Pérouse, cujo desaparecimento comoveu o mundo. Pretendia ir a Vanikoro, onde, segundo o nativo, poderia encontrar numerosos destroços do naufrágio. Mas os ventos e as correntes não permitiram que ele chegasse à ilha.

O capitão Dillon regressou então a Calcutá, onde conseguiu atrair o interesse da Sociedade Asiática e a Companhia das Índias por sua descoberta. Assim, foi colocado à sua disposição um navio ao qual deram também o nome de Recherche, tendo partido no dia 23 de janeiro de 1827, levando com ele um agente francês.

O navio, depois de ter passado por vários pontos do Pacífico, lançou âncora diante de Vanikoro no dia 7 de julho de 1827, no mesmo porto de Vanu onde estava o Náutilus naquele momento.

Ele recolheu numerosos restos do naufrágio: utensílios de ferro, âncoras, cabos de roldanas, uma bala de dezoito milímetros, instrumentos de astronomia já deteriorados, uma sineta de bronze com a inscrição a inscrição *"Bazin m'a fait"*, marca da fundição do Arsenal de Brest por volta de 1785. Portanto, não havia dúvidas.

Dillon permaneceu no local do sinistro até o mês de outubro, a fim de completar as suas investigações. Depois deixou Vanikoro e se dirigiu para a Nova Zelândia. Ancorou em Calcutá no dia 7 de abril de 1828 e voltou à França, onde foi calorosamente recebido por Carlos X. Todavia, nessa época, Dumont d'Urville, que desconhecia as investigações de Dillon e os seus resultados, já tinha partido para procurar em outras paragens o local do naufrágio. Soube-se por um baleeiro que algumas medalhas e uma cruz de São Luís foram vistas com os nativos da Luisiana e da Nova Caledônia.

Dumont d'Urville, que comandava o Astrolábio, lançou-se ao mar. Dois meses depois de Dillon ter deixado Vanikoro, ele ancorava diante de Hobart Town, onde teve conhecimento dos resultados obtidos por Dillon. Ainda nessa cidade ele foi informado de que um tal James Hobbs, imediato do Union, de Calcutá, ao pisar na terra em uma ilha situada a 8° 18' de latitude sul e 156° 30' de longitude leste, tinha visto barras de ferro e tecidos vermelhos nas mãos dos nativos.

Dumont d'Urville, bastante perplexo e desconfiado das histórias divulgadas por jornais, decidiu seguir as pegadas do capitão Dillon.

No dia 10 de fevereiro de 1828, chegava o Astrolábio a Tikopia. Ele tomou por guia e intérprete um desertor que havia se fixado naquela ilha, navegou para Vanikoro, que avistou no dia 12 de fevereiro, transpôs os seus recifes e só no dia 20 ancorou no porto de Vanu.

No dia 23, seus oficiais deram uma volta na ilha e recolheram alguns destroços insignificantes. Os nativos, com evasivas, recusaram-se a conduzi-los ao local do naufrágio. Essa conduta, muito suspeita, levou-os a pensar que os habitantes naturais da ilha teriam maltratado os náufragos. Realmente, eles pareciam recear que Dumont d'Urville tivesse ido à ilha para vingar La Pérouse e os seus companheiros.

Contudo, no dia 26, os nativos, convencidos com presentes e menos receosos, levaram o imediato Jacquinot ao local do naufrágio. Lá, a uns 7 ou oito metros de profundidade, entre os recifes Pacu e Vanu, permaneciam âncoras, canhões, barras de ferro e de chumbo.

Com muita dificuldade, as pequenas embarcações do Astrolábio chegaram ao local, e os marinheiros conseguiram retirar das águas uma âncora que pesava oitocentos quilos, um canhão de ferro fundido, uma barra de chumbo e duas peças de cobre.

Ao pressionar os nativos, Dumont d'Urville descobriu que La Pérouse, depois de ter perdido os seus dois navios nos rochedos da ilha, havia construído uma embarcação menor, que acabou afundando. Ninguém descobriu o local do acidente.

O comandante do Astrolábio mandou erigir um monumento à memória do célebre navegador e dos seus companheiros. Era uma simples pirâmide quadrangular, apoiada numa base de corais, desprovida de qualquer coisa que pudesse atrair a cobiça dos nativos.

Dumont d'Urville pretendia lançar-se ao mar imediatamente, mas a sua tripulação estava ameaçada pelas febres muito comuns naquelas costas. Ele mesmo foi acometido por elas e só pôde levantar âncora no dia 17 de março. Nesse meio tempo o governo francês, receando que Dumont d'Urville não estivesse sabendo das pesquisas de Dillon, enviou a Vanikoro a corveta Bayonnaise, comandada por Legoarant de Tromelin. A Bayonnaise ancorou diante de Vanikoro alguns meses após a partida do Astrolábio e não encontrou qualquer documento novo. Pôde verificar que os nativos haviam respeitado o monumento de La Pérouse.

Assim terminei o resumo do relato feito ao capitão Nemo. Sem dizer sequer uma palavra, ele fez sinal para que o acompanhasse até o salão. O Náutilus mergulhou alguns metros e os painéis se abriram. Aproximei-me do vidro e avistei alguns destroços cobertos de plantas marinhas: cabos de ferro, âncoras, canhões, balas, uma roda de proa e outros objetos provenientes de navios naufragados.

Enquanto isso, o capitão Nemo revelou:

– O comandante La Pérouse partiu no dia 7 de dezembro de 1785 com os seus navios Bússola e Astrolábio. Ancorou primeiro em Botany Bay, visitou o Arquipélago dos Amigos e a Nova Caledônia.

Dirigiu-se para Santa Cruz e aportou em Namuka, uma das ilhas do grupo Havaí. Depois os seus navios chegaram aos recifes desconhecidos de Vanikoro. O Bússola, que navegava à frente, encalhou na costa meridional, o mesmo aconteceu ao

Astrolábio, que havia ido em socorro dele. O primeiro se desfez rapidamente, mas o segundo, encalhado, resistiu alguns dias.

Os nativos deram bom acolhimento aos náufragos e eles se instalaram na ilha, tendo construído uma embarcação bem pequena com o que puderam aproveitar dos dois navios. Alguns marinheiros decidiram voluntariamente ficar na ilha, enquanto os outros, fracos e doentes, partiram com La Pérouse. Foram para as ilhas Salomão e pereceram na costa ocidental da ilha principal do grupo, entre os cabos Decepção e Satisfação!

– Capitão, como tem conhecimento de tudo isso? – indaguei.

– A partir do material que encontrei no local desse último naufrágio – explicou.

O capitão Nemo mostrou-me uma caixa de latão com as armas da França gravadas, já corroída pelas águas do mar. Dentro havia um maço de papéis amarelados, mas ainda legíveis. Eram as instruções do próprio ministro da marinha ao comandante La Pérouse, com anotações do punho de Luís XVI.

A seguir, o capitão Nemo comentou:

– É uma bela morte para um marinheiro! É um túmulo tranquilo este, feito de corais. Deus queira que tanto eu como os meus companheiros nunca tenhamos outro!

Capítulo 20

O estreito de Torres

Durante a noite do dia 27 para o dia 28 de dezembro, o Náutilus deixou a região de Vanikoro a grande velocidade. Tomou a direção sudoeste e, em três dias, percorreu três mil e seiscentos quilômetros que separam o grupo Lã Pérouse da ponta sueste da Papuásia.

No dia 10 de janeiro de 1868, Conselho foi ao meu encontro na plataforma. E disse com a gentileza de sempre:

– Senhor, peço licença para lhe desejar um bom Ano Novo.

– Aceito e agradeço os seus votos, meu amigo. É como se estivéssemos em Paris, no meu gabinete do Jardim Botânico. Apenas lhe pergunto o que você entende por "um bom Ano Novo" nas circunstâncias em que nos encontramos. Será um ano que colocará fim à nossa clausura ou um ano em que continuará esta estranha viagem?

– Para lhe ser franco, senhor, não sei o que responder – admitiu Conselho. E lembrou:

– É verdade que temos visto coisas curiosíssimas e, nesses dois meses, não tivemos tempo para nos aborrecermos. A última maravilha é sempre mais surpreendente do que a anterior e se esta progressão continuar, não sei onde chegaremos. Na minha opinião, em nenhuma outra época teremos outra oportunidade como esta.

– Nunca, Conselho.

– Além disso, o senhor Nemo vem cumprindo à risca a promessa que nos fez. Não tem nos incomodado de modo algum.

– Tem razão! Gozamos de inteira liberdade aqui.

– Penso, portanto, que não desagradará ao senhor se eu disser que um bom ano será aquele que nos permitir ver tudo...

– Tudo? Isso talvez leve muito tempo. Como Ned Land está reagindo a esta situação?

– As ideias dele são exatamente opostas às minhas, senhor. Ned tem espírito positivo e um estômago imperioso. Observar os peixes e comê-los não é suficiente para ele. A falta de vinho, pão e carne é demais para um digno saxão, familiarizado com bifes e habituado a beber gim ou brandy.

– Da minha parte, nada disso me faz falta. Adaptei-me muito bem ao regime de bordo – disse ao Conselho.

– Eu também! Ao contrário de Ned Land, que deseja fugir, eu penso em ficar. Portanto, se o ano que começa não for bom para mim, será para ele e vice-versa. Assim, sempre haverá alguém satisfeito. Para concluir, o que eu realmente desejo é que aconteça o que mais agradar ao senhor.

– Obrigado, meu amigo. Peço-lhe apenas que aguarde para outra ocasião a troca dos presentes, e que agora a substituamos por um bom aperto de mão. No momento é a única coisa que tenho.

– O senhor nunca foi tão generoso – respondeu Conselho, muito agradecido e feliz.

No dia 2 de janeiro havíamos percorrido dezoito mil e duzentos e cinquenta quilômetros desde a nossa partida dos mares do Japão. À frente do Náutilus estendiam-se as perigosas paragens do mar de Coral, na costa nordeste da Austrália. No dia 4 de janeiro avistamos as costas da Papuásia. Na ocasião, o capitão Nemo disse que pretendia chegar ao Oceano Índico através do Estreito de Torres. Falei sobre isso a Ned Land e ele aprovou. Aquela rota nos aproximava dos mares europeus.

O estreito de Torres é considerado perigoso, tanto pelos recifes que o semeiam como pelos temíveis selvagens que habitam as suas margens. Separa da Nova Holanda a grande ilha da Papuásia, também chamada de Nova Guiné.

O Náutilus chegou à entrada do estreito mais perigoso de todas as rotas marítimas conhecidas, uma passagem da qual se afastam até os navegadores mais corajosos, estreito que Luís Paz de Torres atravessou vindo dos mares do sul para a Malásia, e no qual, em 1840, as corvetas de Dumont d'Urville quase se perderam. O próprio Náutilus, superior a todos os perigos do mar, iria ter problemas com aqueles recifes coralíneos.

O estreito de Torres tem cerca de cento e sessenta quilômetros de largura, mas está obstruído por numerosas ilhas, ilhotas e recifes, que tornam a navegação quase impraticável através dele. O capitão Nemo tomou todas as precauções para atravessá-lo. O Náutilus, navegando à superfície, avançava a uma velocidade moderada. A sua hélice, como a cauda de um cetáceo, agitava as águas com lentidão.

Eu e meus companheiros aproveitamos essa calmaria e fomos para a plataforma. Diante de nós estava a caixa do timoneiro. Era o próprio capitão Nemo quem dirigia o navio. O mar agitava-se, ondulando ao nosso redor.

Às três horas da tarde, enquanto conversava com Ned Land sobre o local perigoso que estávamos atravessando, um repentino tranco me derrubou. O Náutilus tinha acabado de bater num recife e empacou, ligeiramente inclinado para bombordo. Imediatamente, o capitão Nemo e o seu imediato examinaram o estado do navio e trocaram algumas palavras em seu idioma incompreensível. Tínhamos encalhado num desses mares em que as marés são fracas, circunstância desfavorável para o desencalhe da embarcação.

Apesar do choque, o Náutilus não sofreu qualquer dano. O grande risco era de que o navio ficasse preso para sempre naqueles recifes. O capitão, frio e calmo, sempre senhor de si, aproximou-se de mim e disse:

– Um simples incidente!

E me atrevi a provocar o capitão:

– Mas que talvez o force a pisar a terra da qual fugiu!

Ele me olhou sem se irritar e fez um gesto negativo, reiterando a sua determinação de nunca tornar a pôr os pés num continente. E ressaltou:

– A nossa viagem mal começou, Sr. Aronnax. Não desejo privar-me tão depressa do prazer de sua companhia.

Ignorei o tom irônico da frase do capitão, mas retruquei:

– No entanto, o Náutilus encalhou na maré alta. Ora, as marés são fracas no Pacífico e como não pôde tirar o peso do porão do seu navio, não sei como poderá desencalhá-lo.

– Professor, as marés não são fortes no Pacífico. Mas no estreito de Torres verifica-se uma diferença de um metro e meio entre o nível das águas nas marés alta e baixa. Hoje é dia 4 de janeiro e dentro de cinco dias teremos lua cheia. Muito me surpreenderia se esse bondoso satélite não levantasse suficientemente as águas, prestando-me um serviço que só a ele quero ficar a dever.

Depois dessa explicação, o capitão e o seu imediato desceram para o interior do submarino.

– Então esperaremos tranquilamente pela maré do dia 9? Conforme o capitão Nemo, a lua fará o favor de nos fazer flutuar de novo – disse Ned Land. E opinou:

– O senhor pode acreditar em mim: este monte de ferro não tornará a navegar nem em cima e nem debaixo das águas. Agora só serve para a sucata. Portanto, acho que chegou o momento de deixarmos a companhia do capitão Nemo.

– Eu não penso como você, meu caro Ned. Dentro de quatro dias saberemos como agem as marés do Pacífico neste estreito. Aliás, a ideia de fugirmos poderia ser oportuna se estivéssemos à vista das costas da Inglaterra ou da Provença, mas nas costas da Papuásia...

– Mas pelo menos não poderíamos ir à terra, já que vamos ficar parados aqui todos esses dias? – perguntou Ned, inconformado. E acrescentou:

– Ali está uma ilha onde há árvores e animais terrestres que forneceriam bons bifes e boas costeletas, nas quais eu daria umas dentadas com imenso gosto.

– Quanto a isso, professor, concordo com Ned Land – disse Conselho.

– O senhor poderia pedir ao capitão Nemo que nos mandasse levar à terra, a fim de não perdermos o hábito de pisar as partes sólidas do nosso planeta.

– Posso experimentar, mas duvido que ele aceite – concordei.

– Ao menos ficaremos informados sobre a amabilidade do capitão – ponderou o meu criado.

Para minha surpresa, o capitão Nemo concedeu a autorizou a saída sem qualquer objeção, sem mesmo ter exigido a promessa de voltarmos para bordo.

Logo o bote foi preparado e já estava à nossa disposição. Nem procurei saber se o capitão Nemo nos acompanharia. No dia seguinte, 5 de janeiro, a pequena embarcação foi lançada ao mar por apenas dois homens da tripulação. Os remos estavam no seu lugar, só bastava entrarmos nela. Outra surpresa: o capitão não nos impôs nenhum tripulante. Ned Land iria governar sozinho a embarcação. A terra estava a menos de três quilômetros, e para ele seria uma brincadeira conduzir o bote entre aqueles recifes tão perigosos para os grandes navios.

Às oito horas, armados com machados e espingardas, deixamos o Náutilus. O mar estava bem calmo. Uma brisa ligeira soprava da terra. Conselho e eu remávamos vigorosamente, enquanto Ned governava o bote pelas estreitas passagens que as rochas deixavam entre si. O canadense não podia conter a sua alegria. Parecia um prisioneiro fugido da prisão e nem sequer pensava que teríamos de voltar ao submarino. Estava realmente vibrando com o acontecimento.

– Carne! – repetia sem parar.

– Vamos comer carne! Pena não haver pão. Um bom pedaço de carne fresca, grelhada sobre umas brasas... O que me diz disso, Conselho?

– Que você está me deixando com água na boca, seu glutão.

– Resta-nos saber – achei bom preveni-los para uma eventual decepção – se esta floresta tem caça e se ela não será de tamanho tal que possa caçar o caçador.

– Não importa, Sr. Aronnax. Comerei tigre, isso mesmo, lombo de tigre, se não houver outro quadrúpede na ilha – argumentou Ned Land.

– O amigo Ned é inquietante! – comentou, rindo, Conselho.

– Seja o que for, todo animal de quatro patas sem penas ou de duas patas com penas, será cumprimentado com um tiro meu – vangloriou-se o canadense.

– Bom! – exclamei.

– Aí temos promessas imprudentes, mestre Land.

– Não tenha medo, Sr. Aronnax e reme com força. Dentro de vinte minutos estarei lhe oferecendo um prato de verdadeira carne, feito por mim com todo capricho.

Às oito e meia, o bote do Náutilus encalhou suavemente no areal, depois de ter ultrapassado o anel de coral que rodeava a ilha.

Capítulo 21

Alguns dias em terra

Incrível a sensação ao voltarmos a pisar em terra. Ned Land experimentava o solo com os pés, como se estivesse praticando um ato para tomar posse dele. Havia apenas dois meses que, segundo a expressão do capitão Nemo, éramos passageiros do Náutilus. Na realidade, éramos prisioneiros dele.

Caminhamos para o interior da ilha. Atravessamos uma mata pouco densa e logo deparamos com uma planície cheia de arbustos, além de magníficas aves. Era fascinante ver o voo ondulado e a graça das curvas aéreas dos pássaros, sem contar o brilho e as cores.

Na hora reconheci as aves.

– Aves-do-paraíso! – exclamei.

– Ordem dos pássaros, subordem dos *clistómoros* – disse Conselho.

– Família dos pardais? – perguntou Ned Land.

– Não creio, mestre Land. Mesmo assim, conto com a sua destreza para pegar um desses encantadores habitantes da natureza tropical. Eu gostaria muito de ter um deles.

– Vou tentar, professor. No entanto, o senhor sabe que estou mais habituado a manejar o arpão do que a espingarda.

Os malaios, que fazem grande comércio destas aves com os chineses, dispõem de diversos meios para as apanhar, mas nós não tínhamos recursos para colocá-los em prática.

Por volta das onze horas da manhã, chegamos ao primeiro plano das montanhas que formavam o centro da ilha. Para decepção geral, mas principalmente de Ned Land, ainda não tínhamos caçado nada. A promessa dele já havia falhado. A fome apertava. Felizmente, o meu criado matou um pombo manso e um torcaz, garantindo o nosso almoço. Rapidamente depenados e espetados num pau, foram assados numa fogueira. Devoramos até os ossos, estavam excelentes. A noz-moscada de que costumam alimentar-se essas aves dá um sabor delicioso à carne.

– E agora, Ned, o que lhe falta? – perguntei ao canadense, ao terminarmos a refeição.

– Um quadrúpede, Sr. Aronnax. Esses pombos não passam de petiscos, de gulodiceias. Enquanto não matar um animal que forneça boas costeletas, não ficarei satisfeito.

– Nem eu, se não apanhar uma ave-do-paraíso – lembrei.

– Continuemos a caça, mas em direção ao mar. Chegamos às primeiras montanhas e acho que é melhor voltarmos à região das florestas – propôs Conselho.

Era uma proposta sensata e foi seguida. Após uma hora de marcha chegamos a uma floresta de salgueiros. Algumas serpentes inofensivas fugiam à nossa aproximação. As aves-do-paraíso desapareciam a qualquer movimento, nem esperava apanhar uma delas. Conselho, que ia à frente, abaixou-se de repente, soltou um grito de triunfo e correu em minha direção, trazendo na mão uma delas.

– Você deu um golpe de mestre, Conselho! – agradeci, realmente admirado. E o elogiei:

– Pegar uma ave-do-paraíso viva, à mão, não é façanha para qualquer um.

– Se o senhor a examinar de perto, verá que não tive grande mérito, professor – disse. A seguir, explicou o pouco valor do feito, em seu próprio julgamento:

– Esta ave está bêbada pela noz-moscada que devorou quando a peguei. Veja, amigo Ned, veja o resultado da intemperança!

– Com mil diabos! – retrucou o canadense.

– Há dois meses que nem cheiro gim!

Entretanto, examinei a ave e constatei que meu criado estava certo. Ela estava realmente tonta com o suco embriagante da fruta e incapacitada de voar. Pertencia à mais bela das oito espécies encontradas na Papuásia e nas ilhas vizinhas. Tratava-se de uma ave-do-paraíso grande esmeralda, uma das mais raras. Por isso, desejei levar o majestoso espécime para o Jardim Botânico, que não tinha nenhum exemplar vivo dessas aves.

Se, por um lado, consegui a ave, faltava agora o canadense realizar o seu desejo. Felizmente, por volta das duas horas, Ned Land conseguiu abater um belo porco selvagem, ao qual os nativos da região chamam de bari-utang. O arpoador não cabia em si de orgulhoso, já que o porco caiu fulminado com o primeiro disparo que ele fez. Teríamos costeletas na refeição da noite. Estávamos muito satisfeitos com os resultados de nossa caçada. O alegre canadense até se animou a voltar no dia seguinte àquela ilha encantada, pois pretendia caçar outros quadrúpedes comestíveis. Mas não contava com o que estava para acontecer.

Às seis horas da tarde, nós estávamos na praia, próximos ao bote. O Náutilus, semelhante a um grande recife, emergia das águas a três quilômetros de distância.

Ned Land se dedicou à tarefa de fazer o jantar. Assim que as costeletas eram assadas nas brasas, vinha um cheiro delicioso que perfumava o ambiente. Tratamos de imediatamente degustar o excelente jantar.

– E se não voltássemos esta noite ao Náutilus? – disse Conselho, numa perigosa proposta.

– E se nunca mais voltássemos?

– Ned Land fez justamente a pergunta que eu esperava ouvir dele.

Naquele momento, uma pedra caiu aos nossos pés, interrompendo a proposta do canadense.

Capítulo 22

O raio do capitão Nemo

As pedras não caem assim do céu! – disse Conselho.

Uma segunda pedra, bem arredondada, feriu bastante a mão do Conselho. Essas pedradas nos assustaram demais.

De espingardas em punho, nós três ficamos prontos para responder a qualquer ataque.

– Serão macacos? – perguntou Ned Land.

– Certamente que não. São nativos! – respondeu Conselho.

– Vamos direto para o bote! – ordenei, já indo para o mar.

Realmente, era preciso fugir o mais rápido possível, porque uns vinte nativos, armados de arcos e fundas, surgiram na orla de uma mata à direita de onde estávamos, a cerca de cem passos. Aproximavam-se sem pressa, mas demonstrando hostilidade, atirando suas pedras e flechas contra nós.

Chegamos em dois minutos à beira do mar. Carregar o bote com as nossas provisões da caçada, empurrá-lo para a água e montar os remos, foi uma questão de segundos. Nem tínhamos avançado dez metros e já uma centena de nativos, gritando e gesticulando, entrava na água.

Vinte minutos depois chegamos a bordo do Náutilus. Os alçapões estavam abertos e entramos. Fui diretamente ao salão de onde saíam alguns acordes de órgão. Encontrei o capitão Nemo curvado sobre ele e mergulhado num verdadeiro êxtase musical. Tive de chamá-lo duas vezes, para que me ouvisse.

– Ah! É o professor. Então fez boa caçada? – perguntou.

– Sim, capitão, mas infelizmente encontramos um bando de nativos.

– O senhor admira-se de ter encontrado selvagens nesta região? Onde é que não há selvagens, professor? Aliás, os daqui serão piores do que aqueles que o senhor não considera como tais?

– Mas, capitão...

– Eu pelo menos os tenho visto em todos os lugares.

– Não vou discutir o seu ponto de vista. Mas se não quer receber os selvagens daqui, a bordo do Náutilus, acho que deve tomar algumas precauções.

– Fique tranquilo, professor, não há motivo para preocupações.

– Mas são numerosos, capitão. Há uma centena deles vindo para cá.

– Sr. Aronnax – disse, voltando sua atenção para o teclado do órgão – mesmo que todos os nativos da Papuásia se juntassem na praia, o Náutilus nada teria a recear dos seus ataques.

Os dedos do capitão começaram então a dedilhar o teclado. Notei que ele tocava apenas nas teclas pretas, o que dava à música um colorido essencialmente escocês. Não tardou a esquecer a minha presença e a mergulhar num devaneio que preferi respeitar.

Subi à plataforma. Já era noite, porque naquela latitude o sol se põe rapidamente e sem crepúsculo. Eu mal distinguia a ilha, mas as numerosas fogueiras acesas na praia indicavam que os nativos não a tinham abandonado. Permaneci um longo tempo atento a qualquer movimentação deles. Por volta da meia-noite, vendo que tudo continuava sossegado, voltei para o meu quarto e dormi tranquilo.

Às oito horas da manhã seguinte, subi à plataforma. Os nativos continuavam na praia, mas em número bem superior aos que eu tinha visto na véspera. Agora seriam uns quinhentos ou seiscentos. Com a maré baixa alguns deles aproveitaram para avançar pelos corais e estavam a menos de quatrocentos metros do submarino. Eu podia ver o bando muito bem. Eram papuas, de porte atlético, homens de uma bela raça, de testa alta, nariz grosso, mas não achatado e dentes brancos. Em geral, andavam nus. Notei a presença de algumas mulheres, vestidas com uma verdadeira saia de ervas presa na cintura cobrindo até os joelhos.

A maioria dos homens estava armada de arcos, flechas e tinha escudos. Traziam ao ombro uma espécie de rede que continha as pedras arredondadas que atiram certeiramente com as fundas. Um dos chefes, bastante próximo do Náutilus, parecia estar bem atento. Devia ser um *mado*, fazer parte da alta estirpe, porque trazia uma esteira de folhas de bananeira, recortada nas pontas e pintada com diversas cores. Eu poderia facilmente abatê-lo com um tiro, mas não convinha atacar até que houvesse hostilidade da parte deles. Entre europeus e selvagens, convém que os europeus não ataquem primeiro.

Durante todo o tempo que durou a maré baixa, os nativos rondaram perto do Náutilus, mas sem agressividade. Eu os ouvia dizendo seguidamente a palavra *assai*, e pelos seus gestos compreendi que me chamavam para ir à terra, convite que não aceitei.

Às onze horas da manhã, quando as cristas dos corais começaram a desaparecer sob as águas da maré que subia, eles voltaram para a terra. Não tendo nada de melhor para fazer, chamei Conselho e pedi a ele que me trouxesse uma rede pequena, dessas usadas para apanhar ostras. Ele a trouxe logo e ficou ao meu lado, ajudando-me a puxar a rede que sempre vinha carregada com conchas comuns, ostras perlíferas e algumas tartarugas pequenas.

Sempre atento a tudo que recolhíamos, eu achei uma concha que a sua espira em vez de estar enrolada da direita para a esquerda, estava enrolada da esquerda para a direita. Uma concha canhota. Enquanto eu observava o meu precioso achado, uma pedra atirada desastradamente por um nativo quebrou-a na mão de meu criado que a segurava naquele momento. Exclamei aborrecido, pois aquela concha era um belo objeto. Conselho pegou a espingarda e apontou para um selvagem que balançava a sua funda a uma distância de dez metros de nós. Tentei impedi-lo de disparar, mas o tiro saiu e a bala acertou a pulseira de amuletos que pendia do braço do nativo.

– Foi aquele canibal que começou o ataque, senhor! – justificou, quando reprovei o seu ato.

A situação agravou-se em poucos instantes. Cerca de vinte canoas cheias de nativos se dirigiram para o Náutilus.

– Vou prevenir o capitão Nemo – avisei e desci rapidamente pelo alçapão. Uma chuva de flechas começou a cair na plataforma do barco.

Informei ao capitão toda a situação. Ele me ouviu tranquilamente e depois disse:

– Então só temos que fechar os alçapões.

– Certo, capitão! As canoas dos nativos estão por todos os lados. Dentro de alguns minutos seremos assaltados por algumas dezenas de selvagens.

– Não corremos tal risco, professor – garantiu o capitão.

Apertou um botão em sua mesa, aguardou um momento e me disse – Pronto, professor! O bote está guardado e os alçapões, fechados. O senhor certamente não receia que esses cavalheiros derrubem as muralhas que as balas da sua fragata não conseguiram penetrar.

– Não, capitão, mas existe ainda um perigo.

– Qual? A amanhã por esta hora, será preciso reabrir os alçapões para renovar o ar do Náutilus. Se nessa ocasião os papuas ainda estiverem na nossa plataforma, não vejo como os impedirá de entrarem a bordo.

Como são algumas centenas...

– Pois bem, que entrem. Não vejo motivo algum para impedi-los. No fundo, esses papuas são uns pobres-diabos, e não desejo que a minha estada na ilha Gueboroar fique marcada pela morte de algum desses infelizes. E acrescentou:

– Amanhã, exatamente às duas horas e quarenta minutos da tarde, o Náutilus flutuará e deixará, sem qualquer avaria, o estreito de Torres.

Dito isso, o capitão Nemo inclinou-se ligeiramente, indicando que a nossa conversa havia terminado.

No dia seguinte trabalhei em minhas anotações até as onze horas. Não percebi nenhum movimento a bordo que significasse qualquer preparação para uma partida na parte da tarde. Aguardei mais algum tempo e depois me dirigi para o salão. O relógio marcava duas horas e meia. Dentro de dez minutos a maré atingiria o máximo de sua altura e, se o capitão Nemo não tivesse feito uma promessa vã, o Náutilus flutuaria imediatamente para partirmos.

Em seguida, percebi alguns estremecimentos de bom prenúncio no casco do navio e ouvi rangerem as asperezas calcárias do fundo coralígeno nas chapas de ferro.

Às duas horas e trinta e cinco minutos, o capitão Nemo apareceu no salão e me disse:

– Vamos partir! Já dei ordens para que os alçapões sejam abertos.

– E os *papuas*? Não vão entrar no Náutilus, capitão?

– Sr. Aronnax – respondeu, tranquilamente – não se entra à vontade pelos alçapões do meu navio, mesmo quando estão abertos.

Olhei para ele, sem disfarçar a minha incredulidade.

– Venha comigo, professor, venha ver pessoalmente!

Acompanhei o capitão Nemo para a escada central onde Ned Land e Conselho, muito intrigados, observavam alguns homens da tripulação que abriam os alçapões, enquanto se ouviam no exterior os gritos ameaçadores dos papuas. Os postigos foram abertos pelo lado de fora e apareceram vinte caras horríveis. Mas o primeiro nativo que pegou no corrimão da escada foi projetado para trás por uma força invisível e fugiu, dando gritos de terror e enormes saltos. Apareceram mais dez companheiros, que tiveram a mesma sorte.

Conselho estava estarrecido. Ned Land, levado pelo seu instinto impulsivo, precipitou-se para a escada. Assim que tocou no corrimão caiu também.

– Com mil diabos! Estou fulminado!

A exclamação do canadense explicava tudo. Aquilo não era um corrimão comum, mas um cabo de metal carregado de eletricidade. Quem o tocasse receberia um choque que seria mortal, se o capitão Nemo tivesse lançado nele uma corrente de maior potência.

Os papuas, apavorados, tinham se retirado, enquanto nós ríamos e consolávamos o infeliz Ned Land, que continuava amaldiçoando como um possesso. Sua impulsividade foi bem castigada.

Logo depois, levantado pelas últimas ondas da maré cheia, o submarino deixava o leito de coral, exatamente na hora determinada pelo capitão. A hélice virava as águas com majestosa lentidão e a sua velocidade foi aumentando pouco a pouco. O Náutilus, navegando à superfície, deixou as perigosas paragens do estreito de Torres, são e salvo.

Capítulo 23

*Aegri somnia**

Navegamos no sentido oeste. No dia 11 de janeiro dobramos o cabo Wessel, que forma a extremidade do golfo da Carpentária. Os recifes ainda eram numerosos, mas mais espalhados e assinalados na carta com bastante precisão. O Náutilus evitou os obstáculos de Money a bombordo e os recifes de Vitória a estibordo.

No dia 13 de janeiro, o capitão Nemo avisou que estávamos no mar de Timor e à vista da ilha do mesmo nome. Esta ilha, cuja superfície é de vinte e oito mil quilômetros quadrados, é governada por rajás, príncipes que se dizem filhos de crocodilos, o que para eles significa que são descendentes da mais nobre origem a que um ser humano pode aspirar.

Os seus escamosos antepassados enchem os rios da ilha e são objeto de uma veneração especial. São protegidos, mimados, adorados, e alimentados com jovens virgens, em ocasiões especiais. Desgraçado do estrangeiro que puser as mãos num desses animais, como é o caso desses enormes lagartos sagrados.

Passamos ao largo dessa ilha. No dia 18 de janeiro, o Náutilus estava a 105° de longitude e 15° de latitude meridional. O tempo era ameaçador e o mar agitado. O vento soprava forte de leste. Havia alguns dias que o barômetro estava descendo, anunciando para breve uma luta dos elementos.

Subi para a plataforma no momento em que o imediato procedia às medições dos ângulos solares. Esperei que ele, segundo o seu costume, pronunciasse a frase quotidiana, mas naquele dia ela foi substituída por uma outra não menos incompreensível. Seguidamente, vi o capitão Nemo observando o horizonte com o óculo de

---

* N. do R.: *Aegri somnia* é uma expressão latina que significa sonhos de doente, sonhos confusos de um enfermo.

longo alcance. Percebi que ele fixava um ponto determinado, permanecendo imóvel durante algum tempo. Depois baixou o óculo e trocou umas palavras com o imediato, que estava visivelmente emocionado. O capitão mantinha-se frio e parecia fazer certas perguntas que o seu auxiliar respondia com afirmativas formais.

Enquanto eles conversavam, eu olhei diversas vezes na direção em que o capitão tinha olhado e não vi coisa alguma. O céu e a água confundiam-se na linha do horizonte com uma perfeita nitidez.

O capitão Nemo andava de um extremo ao outro da plataforma, parecendo ignorar a minha presença. O seu passo era seguro, mas menos regular do que o habitual. Às vezes parava, cruzava os braços e observava o mar.

O imediato voltou a pegar no óculo e olhava obstinadamente o horizonte, de um lado para o outro, batendo com o pé, contrastando com o capitão pelo seu evidente nervosismo. Em dado momento, ele chamou de novo a atenção do seu superior para o horizonte. O capitão Nemo parou o seu passeio e dirigiu o óculo para o ponto indicado. Observou por um longo tempo na mesma direção. Intrigado para saber o que estava acontecendo naquele ponto longínquo, que prendia tanto a atenção deles, desci ao salão e peguei um excelente óculo de longo alcance que costumava usar. Ajustei-o na caixa do farol, saliente na frente da plataforma, e me preparava para ver toda a linha do céu e do mar. Antes mesmo de posicionar o óculo, ele foi arrancado das minhas mãos.

Diante de mim, o capitão Nemo, visivelmente alterado, chamou-me logo a atenção. As sobrancelhas franzidas, os olhos brilhantes, o corpo tenso, todo o seu aspecto era o de um homem enraivecido. O meu óculo caiu de suas mãos sem que ele desse conta. Seria eu a causa de toda aquela ira?

Dali a pouco o capitão Nemo recuperou a calma. O seu rosto readquiriu o aspecto habitual. Dirigiu algumas palavras ao seu imediato e depois voltou-se para mim e disse:

– Sr. Aronnax – sua voz tinha um tom imperioso – exijo-lhe o cumprimento de um dos compromissos que assumiu comigo.

– De que se trata, capitão?

– O senhor e os seus companheiros vão se recolher voluntariamente à cela e ficarão trancados lá até que eu ache conveniente devolvê-los à liberdade.

– É o senhor quem manda – falei, olhando-o fixamente.

– Posso lhe fazer uma pergunta?

– Nenhuma!

Diante da negação só me restava obedecer. Desci à cabina ocupada por Ned Land e Conselho e informei-os da determinação. Quatro homens da tripulação esperavam à porta e não houve tempo para as explicações que o canadense queria. Voltamos à cela onde tínhamos passado a nossa primeira noite a bordo do Náutilus. Depois que ficamos sozinhos contei-lhes o que tinha se passado na plataforma do barco. Aliás, eu não tinha muita coisa para informar a eles.

Entretanto, mergulhei num abismo de reflexões e a estranha fisionomia do capitão Nemo não me saía do pensamento. Mas eu era incapaz de juntar duas ideias lógicas e perdia-me nas mais absurdas hipóteses até que Ned Land me tirou daquela tensão.

– Serviram-nos o almoço, professor – anunciou-me ele.

Acabado o almoço, cada um de nós se recostou para o seu lado. Meus companheiros dormiram logo. Eu pensava sobre o que teria provocado neles aquele desejo imperioso de dormir, quando senti o meu cérebro invadido por forte torpor. Era evidente que haviam misturado substâncias soporíferas na comida que nos serviram. Tentei resistir ao sono, mas não consegui.

Capítulo 24
O reino do coral

No dia seguinte, acordei com a cabeça aliviada. Para minha grande surpresa, estava no meu quarto. Certamente os meus companheiros também tinham sido levados para a sua cabina enquanto dormiam. O que teria se passado durante aquela noite? Para desvendar esse mistério eu só podia contar com o acaso do futuro. Saí do quarto, passei pelos corredores, subi a escada central e vi que os alçapões, fechados na véspera, estavam abertos. Subi à plataforma e encontrei Ned Land e Conselho. Como eu, nada tinham visto, nada sabiam.

Quanto ao Náutilus, tranquilo e misterioso como sempre, navegava à superfície a uma velocidade moderada. Nada parecia ter mudado a bordo. Resolvi voltar ao meu quarto para continuar as minhas anotações sobre aquela incrível viagem submarina.

Por volta das duas horas estava no salão quando o capitão abriu a porta e entrou. Cumprimentamo-nos. Reparei que ele tinha o rosto cansado e a sua fisionomia demonstrava uma profunda tristeza. Ele quis saber se eu era médico.

Ao confirmar que sim, ele me disse que um de seus homens estava doente. Perguntou se eu poderia tratá-lo e, novamente, a minha resposta foi afirmativa. O capitão Nemo me conduziu imediatamente à ré do navio onde ficava o alojamento da tripulação. O homem não estava apenas doente, estava gravemente ferido e não demoraria a morrer.

Depois de examiná-lo demoradamente, eu disse ao capitão:

– Não há nada que eu possa fazer. Este homem morrerá dentro de duas horas.

As mãos do capitão contraíram-se e derramou algumas lágrimas. Eu que o julgava incapaz de chorar.

– Pode retirar-se, Sr. Aronnax – disse.

Na manhã seguinte subi à plataforma e encontrei o capitão lá. Assim que me viu chegar, ele veio falar comigo.

– Aceita fazer hoje uma excursão submarina, professor? – perguntou. Notei que ele continuava triste.

– Com os meus companheiros? – indaguei.

– Claro, se eles quiserem.

– Estamos às suas ordens, capitão.

– Então chame os seus amigos e vistam os escafandros.

Sobre o moribundo ou o morto, ele manteve silêncio total.

Às oito e meia da manhã estávamos prontos para o novo passeio. Desta vez, Ned Land aceitou vestir o escafandro e nos acompanhar. O capitão Nemo chegou seguido de doze dos seus homens, a porta dupla foi aberta, eles saíram e nós os seguimos a pé a uma profundidade de dez metros, sobre a terra firme onde repousava o Náutilus. Eu gostaria de poder entender as reações que se desenhavam na fisionomia do canadense.

Depois de andarmos por um longo tempo, chegamos ao início de uma floresta petrificada, com longas veredas de arquitetura fantasista. O capitão Nemo seguiu por uma obscura galeria cuja suave inclinação nos conduziu a uma profundidade de cerca de trezentos metros. Mas ali não havia mais os arbustos isolados, nem a modesta mata de baixa altura que vínhamos encontrando. Era a floresta imensa, as grandes vegetações minerais, as enormes árvores petrificadas, reunidas por elegantes grinaldas, lianas do mar, cheias de tonalidades e reflexos. Passamos livremente sob as suas altas copas perdidas na escuridão das águas, enquanto os nossos pés pisavam um fofo tapete semeado de joias deslumbrantes. Um mundo realmente fantástico!

O capitão Nemo parou no centro de uma grande clareira, rodeada de altas árvores. Os seus homens formaram um semicírculo em volta dele. Notei que quatro deles transportavam aos ombros um objeto de forma alongada.

Ned Land e Conselho estavam comigo. Ao ver tudo aquilo, pressenti que iríamos presenciar uma cena estranha. Olhando o solo, verifiquei que em certos pontos haviam pequenas elevações dispostas com uma regularidade que traía a mão do homem. No meio da clareira, sobre um pedestal de rochas toscamente amontoadas, erguia-se uma cruz de coral estendendo os seus longos braços que se diriam feitos de sangue petrificado.

A um sinal do capitão Nemo um dos seus homens avançou e, a alguns passos da cruz, começou a escavar um buraco com uma picareta que tirou do cinto. Então compreendi tudo! Aquela clareira era um cemitério. A peça grande e alongada que os homens carregavam nos ombros era o seu companheiro falecido conforme tinha previsto.

O capitão Nemo e os seus homens iam enterrar o companheiro naquela morada comum, no fundo do oceano inacessível! Eu mal podia acreditar naquilo tudo. Mas o trabalho prosseguiu, a cova foi aberta e os carregadores do corpo se aproximaram e o deitaram no seu úmido túmulo.

O capitão Nemo, de braços cruzados sobre o peito, acompanhado de todos os amigos do falecido, se ajoelhou em oração. Eu e meus dois companheiros inclinamos as nossas cabeças. Depois o capitão e seus homens se levantaram e, aproximando-se mais do túmulo, cada um deles dobrou um joelho e estendeu a mão num último adeus sem palavras. Sempre guiado pelo capitão Nemo, o cortejo fúnebre retornou ao Náutilus.

Assim que despi o escafandro e subi à coberta, o capitão foi falar comigo. Antes que me dissesse qualquer coisa eu lhe falei:

– Confirmando a minha previsão, o homem morreu durante a noite.
– Sim, Sr. Aronnax – confirmou.
– E agora repousa junto dos companheiros no cemitério de coral.
– Exato, professor. É ali o nosso cemitério.
– Onde os seus mortos podem repousar tranquilos, fora do alcance dos tubarões!
– Sim, dos tubarões e dos homens – respondeu-me em tom grave.

SEGUNDA PARTE:

O FUNDO DO MAR

Capítulo 1
O Oceano Índico

Começamos agora a segunda parte desta viagem submarina. A primeira acabou na cena do cemitério de coral, que foi muito emocionante. Assim, no seio do mar imenso, decorria a vida do capitão Nemo e aí ele ficaria até a morte, já que tinha preparado o seu túmulo no mais impenetrável dos seus abismos, onde nenhum dos monstros do oceano poderia perturbar o último sono do comandante e dos tripulantes do Náutilus, esses amigos unidos uns aos outros tanto na vida como na morte. "Nenhum homem também" iria perturbar seu sono eterno – completaria o capitão. Sempre a mesma desconfiança, feroz e implacável com as sociedades humanas.

Eu já não me contentava com as hipóteses levantadas pelo Conselho em relação ao capitão. Para ele, o capitão era um gênio incompreendido que, farto das decepções da terra, tinha se refugiado naquele meio inacessível onde os seus instintos atuavam livremente. Para mim, essa hipótese explicava apenas uma das facetas do capitão Nemo.

O mistério da noite durante a qual ele havia nos metido na prisão e nos narcotizado, a sua atitude violenta ao me tirar os óculos das mãos, o ferimento mortal daquele homem, tudo isso ultrapassava o natural. Para mim o capitão Nemo não se contentava apenas em fugir dos homens. O seu formidável submarino servia não somente aos anseios de liberdade, mas também para exercer quaisquer terríveis represálias.

Felizmente nada nos ligava a ele. Nem sequer éramos prisioneiros sob palavra. Não havia qualquer compromisso de honra. Éramos cativos, prisioneiros disfarçados nome de hóspedes por uma simples amabilidade. Ned Land ainda tinha esperança de recuperar a liberdade, e não deixaria de aproveitar a primeira oportunidade que lhe surgisse. Certamente que eu faria o mesmo, mas seria com certa saudade da generosidade do capitão. Afinal, aquele homem deveria ser odiado ou admirado? Era ele uma vítima ou um carrasco? Para ser franco, eu gostaria de, antes de abandonar para sempre o navio, completar a volta ao mundo submarino, cujo início tinha sido maravilhoso. Eu queria ver o que nenhum homem ainda vira, mesmo tendo de pagar com a vida essa insaciável necessidade de aprender.

No dia 21 de janeiro de 1868, o imediato foi medir a altura do sol. Subi à plataforma, acendi um cigarro e segui a operação. Parecia-me evidente que aquele homem não sabia francês, porque várias vezes fiz reflexões em voz alta, que certamente teriam provocado nele alguma reação, se as compreendesse.

Quando o Náutilus se preparou para retomar a sua marcha submarina, desci ao salão. Os alçapões foram fechados e rumamos diretamente para o oeste. Estávamos nas águas do Oceano Índico, vasta planície líquida com quinhentos e cinquenta milhões de hectares, cujas águas são tão transparentes que chegam a provocar vertigens em quem se debruça sobre a sua superfície. O Náutilus navegava a uma profundidade média de cem a duzentos metros. E foi assim durante vários dias. Para qualquer outra pessoa que não sentisse o meu imenso amor pelo mar, as horas teriam certamente parecido longas e monótonas. Mas os passeios quotidianos pela plataforma, onde me refazia com o ar vivificante do oceano, o espetáculo das águas através dos vidros do salão, a leitura dos livros da biblioteca e a redação das minhas memórias ocupavam-me o tempo todo, não me deixando um momento sequer de descanso ou mesmo de tédio.

Na manhã do dia 24 avistamos a ilha Keeling, com magníficos coqueiros, que foi visitada por Darwin e pelo capitão Fitz-Roy. O Náutilus passou a pouca distância dessa ilha deserta. As redes apanharam curiosas conchas em suas imediações. Em breve a ilha Keeling desaparecia no horizonte. Seguimos para noroeste, em direção ao extremo da península indiana.

– Terras de gente civilizada – disse-me Ned Land naquele dia. – São melhores do que as ilhas da Papuásia onde há mais selvagens do que cabritos. Na Índia, professor, há estradas, estradas de ferro, cidades inglesas, francesas e indianas. Encontramos um compatriota a cada oito quilômetros. Não será ocasião de abandonarmos as delicadezas com o capitão Nemo?

– Não, Ned – respondi-lhe num tom resoluto. – Deixemos correr, como dizem os marinheiros. O Náutilus está se aproximando de continentes habitados e talvez tome o rumo da Europa. Uma vez chegados aos nossos mares, veremos o que a prudência nos aconselha a fazer. Aliás, acho que o capitão Nemo não nos autorizará a ir caçar nas costas de Malabar ou de Choromândel, como nas florestas da Nova Guiné.

– E não podemos ir sem a autorização dele?

Não respondi ao canadense, porque não queria discutir. No fundo, eu desejava esgotar até o fim os acasos do destino que me tinham lançado para bordo do Náutilus.

Depois de passarmos pela ilha Keeling, a nossa velocidade diminuiu. Mas navegamos várias vezes a grandes profundidades. Foram muito utilizados os planos inclinados. Alavancas internas podiam colocar o barco obliquamente na linha de flutuação. Navegávamos assim dois ou três quilômetros, mas sem nunca tocar o fundo do mar.

Em 25 de janeiro, com o mar completamente deserto, o Náutilus passou o dia na superfície, batendo as ondas com a sua poderosa hélice e fazendo-as saltar a grande altura. Nessas condições, como seria possível não o tomar por um cetáceo gigantesco? Passei três quartos do dia na plataforma olhando o mar. Nada no horizonte, a não ser, por volta das quatro horas da tarde, quando avistamos por um instante um vapor que seguia para oeste. Meio submerso, o Náutilus não seria visível para a tripulação dele.

Às cinco da tarde, antes do rápido crepúsculo que liga o dia e a noite nas zonas tropicais, eu e Conselho assistimos maravilhados a um belo espetáculo.

Era um curioso animal cujo encontro, segundo os antigos, augurava boa sorte. Aristóteles, Ateneu, Plínio e Opiano tinham-lhe estudado os gostos e esgotado toda

a poética dos sábios da Grécia e da Itália com ele. Deram o nome de *nautilus* e *pompylius*, mas a ciência moderna não ratificou esses nomes e o molusco em questão se chama hoje argonauta.

Ora, era precisamente um cardume de argonautas que viajava então à superfície do oceano. Conseguimos contar várias centenas, pertencentes à espécie dos argonautas tuberculares, característicos dos mares da Índia.

– O argonauta pode deixar a sua concha, mas nunca o faz – disse eu a Conselho.

– É como o capitão Nemo – respondeu ele, judiciosamente. – Por isso devia ter batizado sua embarcação de Argonauta.

Durante cerca de uma hora o Náutilus flutuou no meio daqueles milhares de moluscos. Depois, não sei o que lhes deu. Parecendo obedecer a um sinal convencionado, todas as velas foram subitamente arriadas, os tentáculos dobrados, os corpos contraídos, as conchas fechadas alterando o seu centro de gravidade e toda a flotilha desapareceu sob as águas. Foi instantâneo e nunca uma esquadra manobrou com tanta precisão.

Naquele momento a noite caiu de repente, e as ondas se alongaram sobre o costado do Náutilus.

No dia seguinte, 26 de janeiro, passamos o Equador no meridiano oitenta e dois e entramos no hemisfério boreal. Durante esse dia fomos escoltados por um enorme cardume de esqualos, terríveis animais que pululam naqueles mares, tornando-os perigosos. Esses poderosos predadores precipitaram-se várias vezes contra o vidro do salão, com uma violência pouco tranquilizadora. Ned Land já não se controlava. Queria subir à superfície e arpoar os monstros, sobretudo alguns esqualos-lixas, cujas goelas estão cheias de dentes dispostos em mosaico, e os grandes esqualos-tigres, com cinco metros de comprimento, que o provocavam com uma certa insistência. Porém, aumentando a velocidade, o Náutilus não tardou em deixar para trás os mais velozes desses tubarões.

No dia 27 de janeiro, à entrada do vasto golfo de Bengala, deparamos com um espetáculo bem sinistro: cadáveres que flutuavam na superfície das águas. Eram os mortos das cidades indianas, arrastados pelo Ganges até o alto-mar. Os abutres, únicos coveiros daquela região, não tinham conseguido devorar todos eles. Os esqualos terminariam a macabra tarefa.

Por volta das sete horas da noite, o Náutilus semissubmerso navegava num mar de leite. A brancura das águas a perder de vista era um fenômeno que intrigava o meu criado.

– O senhor poderá me dizer qual a causa disso, professor?

– Perfeitamente! Essa coloração de leite é causada por miríades de pequenos vermes luminosos, de aspecto gelatinoso e incolor, com a espessura de um cabelo e cujo comprimento não ultrapassa um quinto de milímetro. Aderem uns aos outros numa extensão que pode chegar a dezenas de quilômetros...

– Dezenas de quilômetros? – admirou-se Conselho.

– Exatamente. Por favor, não tente calcular o número deles.

Não sei se Conselho teve em conta a minha recomendação, mas pareceu mergulhado em reflexões profundas.

Capítulo 2
Nova proposta do capitão Nemo

No dia 28 de fevereiro, ao meio-dia, quando o Náutilus subiu à superfície, a 9° 4' de latitude norte, encontrava-se à vista de uma terra que lhe ficava a doze quilômetros para oeste. Observei primeiro um aglomerado de montanhas com cerca de seiscentos metros de altura, cujas formas eram caprichosas. Quando foi feito o levantamento de nossa posição na carta, vi que estávamos à vista da ilha de Ceilão, essa pérola que pende do lóbulo inferior da península indiana.

O capitão Nemo e o imediato apareceram naquele momento. O capitão deu uma olhadela no mapa e, virando-se para mim, disse:

– A ilha de Ceilão é célebre pela pesca de pérolas. O senhor gostaria de visitar um desses locais de pesca?

– Com o maior prazer, capitão.

– Pois bem. É muito fácil. Só que veremos os locais, mas não os pescadores, pois a exploração anual ainda não começou. Vou dar ordem para irmos para o golfo de Manaar onde chegaremos à noite.

O imediato saiu assim que o capitão lhe disse algumas palavras. O Náutilus não tardou a submergir e o manômetro indicou que ele se encontrava a uma profundidade de nove metros.

– Senhor professor – disse-me então o capitão Nemo – pescam-se pérolas no golfo de Bengala, no mar das Índias, nos mares da China e do Japão, nos do sul da América, nos golfos do Panamá e da Califórnia, mas é em Ceilão que essa pesca é mais frutífera. Porém, chegamos demasiado cedo, pois os pescadores só se reúnem no mês de março no golfo de Manaar. Durante trinta dias os seus trezentos barcos se entregam à lucrativa exploração dos tesouros do mar. Cada embarcação tem dez remadores e dez pescadores. Divididos em dois grupos, eles mergulham alternadamente, descendo a uma profundidade média de doze metros. Para o mergulho são auxiliados por uma pesada pedra que seguram entre os pés e que está presa ao barco por uma corda.

– Até hoje ainda usam esse método primitivo?

– Ainda – informou-me o capitão – embora essas ostreiras pertençam ao povo mais engenhoso do globo, os ingleses, as adquiriram pelo Tratado de Amiens, em 1802.

– Um escafandro semelhante aos que o senhor tem seria muito útil nessas operações – comentei, para ver a reação dele.

Júlio Verne

– De fato seriam. Esses pobres pescadores não podem permanecer por muito tempo debaixo da água. O inglês Percival, que esteve por aqui, falou de um nativo que conseguia ficar cinco minutos sem vir à superfície, mas isso é pouco crível. Sei de alguns pescadores que aguentam até cinquenta e sete segundos. Outros, mais hábeis, ficam submersos até oitenta e sete segundos. Mas são raros e quando voltam a bordo sangram pelo nariz e pelos ouvidos. Penso que o tempo médio que eles podem aguentar é de trinta segundos, durante os quais se apressam em recolher para dentro de um saco todas as ostras com pérolas que vão arrancando. Geralmente esses pescadores morrem novos. A vista vai enfraquecendo, aparecem úlceras nos olhos e feridas no corpo. Muitas vezes são fulminados por apoplexia no fundo do mar, ou devorados por tubarões.

– É na verdade uma triste profissão que apenas serve para satisfação de caprichos – externei meu ponto de vista. – Mas diga-me, capitão, que quantidade de ostras pode pescar um barco em um dia de trabalho com os homens que o senhor mencionou?

– Cerca de quarenta e cinco mil. Dizem que em 1814 o governo inglês arrecadou setenta e seis milhões de ostras, com esses pescadores trabalhando por sua conta durante vinte dias.

– E esses homens são bem pagos?

– Não. Recebem uma remuneração insignificante.

– Essa exploração do homem pelo homem é odiosa, capitão Nemo.

Ele não quis comentar a minha observação.

– Pois bem, professor, visitaremos amanhã o banco de ostras de Manaar. Pode acontecer que encontremos algum pescador mais apressado e o senhor poderá vê-lo em atividade.

– Combinado, capitão.

– A propósito, Sr. Aronnax, tem medo de tubarões?

– Confesso que ainda não estou muito familiarizado com esse tipo de peixe – falei, depois de uma breve reflexão.

– Nós já estamos habituados a eles – disse o capitão – e com o tempo o senhor também se acostumará. De qualquer modo, iremos armados e pelo caminho poderemos talvez caçar um desses exemplares. É uma caçada bem interessante.

Dito isso, o capitão Nemo saiu do salão. Ficando sozinho, comecei a pensar. Se alguém fosse convidado para caçar ursos nas montanhas da Suíça, diria: "Muito bem! Amanhã vou caçar ursos". Se se convidasse um amigo para ir caçar leões nas planícies do Atlas ou tigres nas selvas indianas, ele certamente diria: "Ah! Até que enfim parece que vou caçar tigres ou leões"; mas se uma pessoa fosse convidada para caçar tubarões, no seu elemento natural, tenho certeza de que ela pediria algum tempo para refletir antes de aceitar o convite.

No meu caso, passei a mão pela fronte onde encontrei algumas gotas de suor frio.

"Tenho de refletir enquanto é tempo", monologuei. "Caçar lontras nas florestas submarinas, como fizemos na ilha Crespo, ainda vai. Mas andar pelo fundo dos mares quando se tem quase a certeza de encontrar esqualos, já é outra coisa! Sei muito bem que em certas regiões das ilhas Andamans, os nativos não hesitam em atacar o tubarão com um punhal numa das mãos e uma lança na outra, mas sei também que muitos dos que enfrentam esses formidáveis animais não regressam com vida. Além disso eu não sou nativo e, mesmo que o fosse, acho que uma ligeira hesitação não seria despropositada."

Continuando minhas reflexões, imaginei que certamente meu criado Conselho não haveria de querer ir. Assim eu teria uma desculpa para não acompanhar o capitão. Quanto a Ned Land, confesso que já não estava tão seguro de sua sensatez. Um perigo, por maior que fosse, sempre atraía a sua natureza combativa.

Retomei a minha leitura, mas folheava o livro mecanicamente. Via nas entrelinhas mandíbulas terrivelmente abertas. Naquele momento, Conselho e o canadense entraram no salão com ares tranquilos e até alegres. Não sabiam o que os esperava.

– O capitão Nemo, diabos o levem, acabou de nos fazer uma proposta muito amável – disse-me Ned Land.

– Ah, já sabem... – disse eu.

– Com licença do senhor – foi a vez do meu criado – o comandante do Náutilus nos convidou para visitarmos os magníficos campos de pescas de ostras do Ceilão. Foi muito gentil, portou-se como um verdadeiro cavalheiro. Informou-nos ainda que o senhor irá também.

– Não lhes disse mais nada?

– Mais nada – respondeu o canadense – a não ser que já lhe tinha falado desse passeio.

– É verdade. Ele não lhes falou de...

– De mais nada, professor.

– Vejo que você faz questão de ir, mestre Land.

– Sim, é exato. Estou muito curioso.

– Talvez haja algum perigo – falei, num tom insinuante.

– Perigo em uma simples excursão a um banco de ostras! – replicou Ned Land.

Decididamente o capitão Nemo julgara desnecessário mencionar a caçada de tubarões aos meus companheiros. Eu os olhava comovido, como se já lhes faltasse algum membro do corpo. Deveria preveni-los? Sem dúvida, mas eu não sabia como começar.

– O senhor – Conselho começou a falar – não se importaria de me dar alguns esclarecimentos sobre a pesca das pérolas?

– Acerca da pesca em si, ou sobre os incidentes que...

– Sobre a pesca – interveio o canadense. – Antes de pisar o terreno é bom conhecê-lo.

– Sentem-se, meus amigos.

Ned e Conselho sentaram-se no divã e o canadense me perguntou:

– O que é uma pérola?

– Meu caro Ned – comecei – para o poeta, a pérola é uma lágrima do mar; para os orientais, é uma gota de orvalho solidificada; para as senhoras, é uma joia de forma arredondada, de brilho hialino, de matéria nacarada, que usam no dedo, no pescoço ou nas orelhas; para o químico, é um composto de fosfato e de carbonato de cal com um pouco de gelatina de mistura. Finalmente, para o naturalista, é uma simples secreção doentia do órgão que produz o nácar em alguns moluscos.

– Uma ostra pode conter várias pérolas? – indagou Conselho.

– Pode. Há algumas "pintadinas" que são um verdadeiro cofre. Alguém disse, mas eu duvido, que certa ostra continha nada mais nada menos do que cento e cinquenta tubarões.

– Cento e cinquenta tubarões! – exclamou Ned Land, escandalizado.

– Ah! Eu disse tubarões? Queria dizer cento e cinquenta pérolas. Tubarões não faria sentido.

– O preço das pérolas varia com o tamanho? – perguntou Conselho.

– Não só com o tamanho, mas também com a forma. Varia ainda pela "água", isto é, a cor; pelo "oriente", ou seja, pelo brilho e tonalidade que as tornam tão agradáveis à vista. As mais belas são chamadas pérolas virgens e se formam isoladamente no tecido do molusco. São brancas, frequentemente opacas, outras vezes de uma transparência opalina e de forma esférica ou periforme. As esféricas são usadas para pulseiras; as periformes para pingentes. As mais preciosas são vendidas unitariamente e guardadas como joias. As outras, que aderem à concha da ostra e que são mais irregulares são vendidas a peso. Finalmente, numa ordem inferior, classificam-se as pérolas pequenas, conhecidas pela designação de sementes. Servem especialmente para ornamentar os paramentos dos religiosos.

– Mas há pérolas célebres que custaram fortunas – disse Conselho.

– Há sim. Dizem que César ofereceu a Servília uma pérola cujo valor se calcula em vinte mil dos nossos francos.

– Já ouvi contar – disse o canadense – que certa dama antiga bebia pérolas no vinagre.

– Cleópatra – mencionou o meu criado.

– Não deveria ter um gosto bom – comentou Land.

– Certamente que não – concordou Conselho. – Mas um cálice de vinagre que custa quinze mil francos...

– Lamento não ter me casado com essa tal dama – disse o canadense, fazendo um gesto pouco tranquilizador.

– Ned Land marido de Cleópatra! – troçou Conselho.

– Pois saiba que já estive para me casar, Conselho – o canadense falou sério – e não tive culpa se não deu certo. Até tinha comprado um colar de pérolas para Kat Tender, a minha noiva que acabou por se casar com outro. O colar não me custou mais de um dólar e meio, mas posso garantir-lhe, professor, que as pérolas eram bem grandes.

— Meu caro Ned — expliquei, rindo — eram pérolas artificiais. São simples pedaços de vidro cheios com essência do Oriente.

— Talvez tenha sido por isso que Kat Tender se casou com outro — disse Ned Land, filosoficamente.

— Falando de pérolas de alto valor, penso que ninguém jamais possuiu uma superior à do capitão Nemo.

— Aquela? — perguntou Conselho, apontando para a magnífica joia encerrada numa vitrina.

— Deve valer dois milhões de francos e ao capitão só deve ter custado o trabalho de a apanhar.

— Talvez amanhã durante o nosso passeio encontremos uma igual — disse Ned Land.

— Para que nos serviriam dois milhões de francos a bordo do Náutilus? — perguntou Conselho.

— A bordo, nada — respondeu Ned Land — mas em algum outro lugar poderiam ser muito úteis para nós.

— Mestre Land tem razão — falei. — Se alguma vez chegarmos à Europa ou à América, uma pérola de alguns milhões dará uma grande autenticidade e ao mesmo tempo um grande valor ao relato de nossas aventuras. Seria formidável se isso acontecesse.

— Também acho — disse o canadense.

— Mas a pesca da pérola é perigosa? — perguntou Conselho, que nunca se esquecia do lado instrutivo das coisas.

— Não — respondi — sobretudo se se tomam certas precauções.

— Quais são os riscos dessa profissão? — perguntou Ned Land. — Engolir água salgada?

— Mais ou menos, Ned.

A propósito — disse eu, tentando imitar o tom indiferente do capitão Nemo — Vocês têm medo de tubarões?

— Eu! Um arpoador de profissão? — estranhou Ned Land a minha pergunta, como se ela o tivesse ofendido.

— Até brinco com eles!

— Não se trata de pescá-los pelos meios convencionais que você conhece, Land — expliquei-lhe.

— Então, trata-se de...

— Sim, precisamente.

— Na água?

— Na água!

— Se for com um bom arpão... O senhor sabe, esses tubarões são animais limitados. Têm de se virar de costas para atacar.

Ned Land tinha uma maneira especial de pronunciar a palavra "atacar", que me causava calafrios.

– E você, Conselho, o que pensa dos esqualos? – perguntei.
– Eu vou ser franco com o senhor ...
"Ainda bem!", pensei satisfeito.
– Se o senhor vai enfrentar os tubarões, não vejo por que motivo o seu fiel criado não há de enfrentá-los também.

Capítulo 3
Uma pérola de 10 milhões

Anoiteceu. Eu me deitei mas dormi muito mal. Os esqualos desempenharam um papel importante nos meus sonhos. Estive analisando a etimologia da palavra requin (esqualo) , que vem do latim requiem! No dia seguinte às quatro horas da manhã fui acordado pelo rapaz de bordo, que o capitão tinha posto especialmente a meu serviço. Levantei rapidamente, me vesti e passei ao salão, onde o capitão já me aguardava.

– Está pronto para partir, Sr. Aronnax?
– Sim.
– Siga-me, por favor.
– E os meus companheiros, capitão?
– Já foram prevenidos e estão a nossa espera.
– Não vamos vestir os escafandros? – perguntei.
– Mais tarde. Não deixei que o Náutilus se aproximasse demasiadamente da costa e estamos muito afastados do banco de pérolas. Mandei preparar o bote que nos levará até lá, poupando-nos um longo trajeto a pé. Levaremos as nossas roupas de mergulhar e as vestiremos quando chegarmos a Manaar, no momento de iniciarmos a exploração submarina.

Quando chegamos à escada central a caminho da plataforma, Ned e Conselho já estavam a nossa espera, encantados com os momentos de prazer que se avizinhavam. Cinco marinheiros do Náutilus, de remos a postos, nos esperavam no bote.

O capitão Nemo, Conselho, Ned Land e eu tomamos lugar à ré da embarcação. O timoneiro pegou o leme, os seus quatro companheiros pegaram nos remos, soltaram-se as amarras e afastamo-nos do submarino.

Ficamos em silêncio. Em que estaria pensando o capitão Nemo? Talvez naquela terra que se aproximava e que ele achava demasiado perto, ao contrário do canadense a quem ela parecia muito longe. Conselho estava ali como um simples curioso. Às seis horas, amanheceu de repente. Os raios solares romperam as nuvens amontoadas no horizonte do lado ocidental e o astro radioso elevou-se rapidamente.

Vi a terra com nitidez, com algumas árvores espalhadas aqui e ali. O bote avançou para a ilha Manaar, que se situava para o sul. O capitão Nemo tinha se levantado do banco e observava o mar. A um sinal seu, foi lançada a âncora e a corrente mal deslizou porque o fundo ficava a pouco mais de um metro, formando naquele local um dos mais altos pontos do banco de ostras. O bote virou imediatamente sobre a âncora, impelido pela maré vazante que empurrava para o largo.

– Chegamos, Sr. Aronnax – disse o capitão Nemo. – Vê esta baía estreita? É aqui que dentro de um mês se reunirão os numerosos barcos de pesca e são estas as águas que os mergulhadores irão sondar, audaciosamente. Por sorte, esta baía está naturalmente disposta para este gênero de pesca. Ela está abrigada dos ventos mais fortes e aqui o mar nunca é bravo, circunstância essa que favorece muito o trabalho dos pescadores. Vamos agora vestir os escafandros – ordenou.

Com os olhos fitos naquelas águas suspeitas e sem dizer nada, comecei a vestir a minha pesada roupa de mar, ajudado pelos marinheiros do bote. O capitão Nemo e meus dois companheiros vestiram-se também. Nenhum dos tripulantes do Náutilus iria conosco.

Pouco depois estávamos metidos até o pescoço no vestuário de borracha e com os aparelhos de ar presos às costas por meio de suspensórios. Não vi os aparelhos Ruhmkorff. Antes de meter a cabeça dentro do capacete de cobre, perguntei por eles ao capitão.

– Não vamos precisar deles, Sr. Aronnax – informou-me. – Não desceremos a grandes profundidades e os raios solares serão suficientes para nos iluminar o caminho. Aliás não é prudente transportar uma lanterna elétrica nestas águas, pois o seu brilho poderia atrair inopinadamente algum perigoso habitante delas.

Quando o capitão pronunciou essas palavras, virei-me para falar com Conselho e Ned Land, mas os meus dois amigos já haviam enfiado as cabeças na cápsula de metal e não podiam ouvir e nem falar. Faltava-me fazer uma última pergunta ao capitão Nemo.

– E as nossas espingardas, capitão?

– Para que espingardas? Então os montanheses não atacam os ursos de punhal na mão? O aço é mais seguro do que o chumbo. Aqui tem uma afiada lâmina. Coloque-a em sua cintura e partamos.

Olhei novamente para os meus companheiros. Estavam armados como nós, mas Ned Land empunhava também o enorme arpão que tinha posto no barco antes de deixar o Náutilus.

Deixei que me colocassem a pesada esfera de cobre na cabeça e os nossos reservatórios de ar foram imediatamente postos a funcionar. Descemos para um fundo de areia fina a metro e meio de profundidade. O capitão fez-nos sinal para que o seguíssemos e tomou por um declive pouco acentuado. Em breve desaparecíamos sob as águas.

Então as ideias que me obcecavam desapareceram e eu me senti espantosamente calmo. A facilidade com que me movimentava aumentou-me a disposição e a beleza do espetáculo conquistou-me por completo. O sol iluminava suficientemente as águas, tornando visíveis os mais diminutos objetos. Após dez minutos de marcha nós nos encontrávamos a cinco metros de profundidade e o fundo começava a ficar plano. A nossa passagem, como bandos de marcejas num pântano, levantavam-se cardumes de peixes. Reconheci o javanês, verdadeira serpente com cerca de um metro de comprimento, ventre lívido, facilmente confundível com o congro se não fossem as suas riscas douradas laterais.

O sol iluminava cada vez mais as águas. O solo ia mudando à proporção que andávamos. A areia fina sucedia-se uma verdadeira calçada de calhaus rolados, revestidos por um tapete de moluscos e zoófitos. Foi então que vi exemplares de um caranguejo enorme, classificado por Darwin, ao qual a natureza deu o instinto e a força necessária para se alimentar da semente do coco. Esse caranguejo sobe nos coqueiros da beira-mar, faz cair os cocos quebrando-os na queda. Depois ele os abre com as suas poderosas pinças e come a semente. Sob as águas claras eles corriam com grande agilidade, enquanto as tartarugas que habitam as costas de Malabar se deslocavam lentamente entre as rochas.

Por volta das sete horas chegamos finalmente ao banco onde as ostras perlíferas se reproduziam aos milhões. O capitão Nemo apontou-me aquele amontoado prodigioso de "pintadinas" e compreendi que aquela mina era verdadeiramente inesgotável, porque a força criadora da natureza é superior ao instinto de destruição do homem.

Ned Land apressou-se a encher uma rede que levava, com os mais belos desses moluscos.

Mas não podíamos parar. Tínhamos de seguir o capitão que parecia dirigir-se para um ponto determinado. O solo subia sensivelmente e por vezes, se eu levantasse o braço ultrapassaria a superfície das águas. Depois o nível do banco descia caprichosamente. Algumas vezes contornamos rochedos de formas piramidais. Grandes crustáceos apoiados nas compridas patas, como máquinas de guerra, olhavam-nos fixamente.

Em certo ponto surgiu diante de nós uma enorme gruta, escavada num pitoresco conjunto de rochedos cobertos de todas as algas da flora submarina. A princípio a gruta pareceu-me extremamente escura. Os raios solares pareciam difundir-se por gradações sucessivas e a sua vaga transparência não passava de luz filtrada.

O capitão Nemo entrou nela e nós o acompanhamos. Os meus olhos se acostumaram rapidamente àquelas trevas relativas e distingui os assentos da abóbada, de contornos caprichosos, suportada por pilares naturais assentes numa base granítica, como pesadas colunas de arquitetura toscana. Por que nos conduziria o nosso incompreensível guia ao fundo daquela gruta?

Depois de termos descido uma vertente bastante acentuada, os nossos pés pisaram o fundo de uma espécie de poço circular onde o capitão se deteve e apontou para um objeto que eu não tinha notado. Era uma ostra de dimensões extraordinárias. Aproximei-me daquele gigantesco molusco. Estava preso a uma mesa de granito e ali se desenvolvia isoladamente nas águas calmas da gruta. Calculei o peso daquela ostra em cerca de trezentos quilos, tendo um recheio de quinze quilos. Era evidente que o capitão Nemo já conhecia a existência dela. Não era a primeira vez que ele a visitava. Enganei-me ao pensar que, conduzindo-nos àquele local, o capitão pretendesse apenas nos mostrar uma curiosidade natural. Ele tinha um interesse especial em verificar o estado da ostra.

As duas valvas do molusco estavam entreabertas. O capitão aproximou-se e introduziu o punhal entre as conchas para impedi-las de se fecharem. Depois levantou a túnica membranosa e franjada das bordas que formava a cobertura do animal. Entre as pregas foliáceas, vi uma pérola solta cujo tamanho era igual ao de um coco. A sua forma globulosa, a sua perfeita limpidez e o seu oriente admirável faziam dela uma joia de preço incalculável. Levado pela curiosidade estendi a mão, para pegá-la, tocá-la, calcular-lhe o peso. Mas o capitão não permitiu. Fez-me um sinal negativo e retirou o punhal com um movimento rápido deixando que as valvas se fechassem.

Compreendi então qual era a intenção dele. Ao deixar a pérola escondida debaixo da cobertura da ostra, ele queria que ela crescesse ainda mais. Ano após ano a secreção do molusco acrescentaria novas camadas concêntricas ao seu tesouro. Só ele conhecia a gruta onde "amadurecia" aquele admirável fruto do mar. Ele a criava para um dia levá-la para o seu museu.

Talvez tivesse sido ele próprio, seguindo o exemplo dos chineses e dos indianos, a determinar a produção daquela pérola, introduzindo numa prega do molusco um pedaço de vidro ou de metal que, pouco a pouco, foi se cobrindo de matéria nacarada. Comparando aquela pérola com as que eu conhecia, calculei o seu valor em dez milhões de francos. Ela representava uma soberba curiosidade natural e não uma joia de luxo, pois não existiam orelhas femininas que pudessem usá-la. A visita à opulenta pérola estava terminada. O capitão Nemo deixou a gruta e voltamos ao banco das "pintadinas", no meio daquelas águas claras ainda não perturbadas pelo trabalho dos mergulhadores. Avançávamos separadamente, como se estivéssemos passeando em uma avenida de nossas cidades, cada um de nós parando ou caminhando segundo a sua vontade. Eu já não receava nenhum dos perigos que a minha imaginação tinha exagerado tão ridiculamente. O fundo ia se aproximando da superfície e a minha cabeça saiu à tona do mar. Conselho aproximou-se de mim e me fez um sinal amistoso com os olhos. Aquele planalto elevado media apenas alguns metros, e logo voltamos a ser cobertos pelas águas.

Dez minutos depois o capitão parou de repente. Ordenou-nos com um gesto que nos escondêssemos, junto com ele, no fundo de uma grande cavidade. Apontou para uma direção na massa líquida e eu olhei atentamente para o ponto que ele indicava.

A cinco metros de nós apareceu uma sombra que desceu até o solo. A inquietante ideia dos tubarões atravessou-me o espírito, mas não havia razão para o meu temor. A sombra não era de nenhum dos monstros que eu tanto temia.

Era um homem, um pescador, um pobre-diabo que fora ceifar antes da época da colheita, certamente premido por alguma dificuldade imprevista. Não tardei a distinguir a quilha do seu barco fundeado a alguns metros acima de nossas cabeças. Ele mergulhava e subia sem parar. Prestei atenção no uso da pedra nos pés, para mergulhar mais rapidamente, que ele punha em prática exatamente como o capitão me explicara. Aquela pedra era toda a sua ferramenta. Chegado ao fundo, a cerca de cinco metros de profundidade, ajoelhava-se e enchia um saco com ostras apanhadas ao acaso. Subia a seguir, esvaziava o saco no bote, tornava a colocar a pedra nos pés e recomeçava a operação que não durava mais de trinta segundos.

O mergulhador não nos via observando a sua penosa faina, porque nos ocultávamos à sombra de um rochedo. Aliás, ele nunca poderia supor que homens como ele estivessem a espreitá-lo debaixo da água, não perdendo um único pormenor da sua pesca. Várias vezes ele mergulhou e tornou a subir recolhendo não mais de uma dezena de ostras em cada mergulho. Tinha de arrancá-las do banco a que estavam presas, com grande esforço. Quantas daquelas "pintadinas" não tinham as pérolas pelas quais ele arriscava a sua vida?

Eu o observava com muita atenção. Movimentava-se regularmente e durante cerca de meia hora nenhum perigo o ameaçou. De repente, no momento em que ele estava ajoelhado eu o vi fazer um gesto de terror, levantar-se e empreender a volta à superfície. Compreendi o seu pavor quando vi uma sombra gigantesca aparecer por cima dele. Um tubarão enorme avançara em diagonal, de olhos em brasa e mandíbulas abertas.

Fiquei horrorizado, incapaz de fazer um movimento.

O voraz animal, com um vigoroso golpe de barbatanas, lançou-se sobre o indiano que se atirou para um lado, livrando-se da dentada do monstro mas não da pancada de sua potente cauda. Atingido no peito, ele perdeu os sentidos e voltou ao fundo do mar.

Toda essa cena durou apenas alguns segundos. O tubarão voltou ao ataque virando-se de costas, preparado para cortar o pescador pelo meio. Percebi o capitão Nemo, que estava junto de mim, levantar-se com uma rapidez incrível. De punhal na mão caminhou na direção do monstro, pronto para um combate corpo a corpo.

O tubarão, no momento em que ia avançar sobre o indiano desfalecido, notou o seu novo adversário. Voltou-se de barriga e se dirigiu ao encontro dele. Dobrado sobre si mesmo, demonstrando um admirável sangue-frio, o capitão Nemo esperou o ataque da fera. Quando esta se precipitou para ele, o capitão evitou o choque atirando-se para o lado com prodigiosa agilidade e deu a primeira punhalada no ventre do animal. Desencadeou-se então uma luta terrível.

O sangue jorrava dos ferimentos do tubarão. O mar tingiu-se de vermelho e eu mal podia ver através daquele líquido opaco. Agarrado a uma das barbatanas do furioso esqualo, com uma coragem que não estava muito longe da loucura, o capitão Nemo continuava a lutar e enchia de punhaladas o ventre do inimigo, sem conseguir desferir o golpe decisivo no coração. Ao debater-se, o esqualo agitava as águas e os redemoinhos que provocava quase me derrubavam.

Queria socorrer o capitão, mas confesso que o medo me paralisava os movimentos. De olhos esgazeados eu via as fases da luta se modificando em frações de segundos. De repente o capitão caiu derrubado por aquela massa enorme,

viva e enlouquecida pela dor. Tanto quanto o homem, a fera precisava de matar o seu inimigo, para continuar vivendo. Vi as mandíbulas do tubarão se abrirem desmedidamente, e ia cerrando os olhos para não vê-las se fecharem sobre o corpo do capitão Nemo quando Ned Land atacou com o seu arpão. Cravou-o certeiramente no coração do monstro!

As águas ficaram impregnadas de uma massa de sangue e agitaram-se mais revoltas com os movimentos do esqualo. Era o estertor da fera vencida pelo homem.

Ned Land salvara a vida do capitão Nemo. Escapando sem ferimentos, o capitão se dirigiu imediatamente para o pescador, cortou a corda que o ligava à pedra, pegou-o nos braços e subiu para a superfície. Nós o seguimos e chegamos ao bote do indiano depois de termos sido milagrosamente salvos.

O capitão Nemo tratou logo de reanimar o pescador. Eu duvidava de que o conseguisse, não porque ele estivera submerso por um tempo excessivo, mas porque a pancada da cauda do tubarão o teria atingido mortalmente.

Com as vigorosas massagens de Conselho e do capitão, o afogado foi aos poucos recuperando os sentidos. Abriu os olhos. Qual não terá sido o seu espanto, o seu medo até, ao ver as quatro grandes cabeças de cobre que se debruçavam sobre ele! O que terá pensado quando o capitão Nemo tirou do bolso um saquinho cheio de pérolas e o colocou em suas mãos? Notei que ele tremia ao aceitar a magnífica esmola do homem das águas. Os olhos espantados indicavam claramente o temor diante dos seres estranhos aos quais devia, ao mesmo tempo, a vida e a fortuna.

A um sinal do capitão, retornamos ao banco de ostras. Seguimos o caminho já percorrido e após meia hora de marcha chegamos ao bote do Náutilus. Uma vez a bordo, ajudados pelos marinheiros, nos desembaraçamos das nossas estranhas indumentárias.

As primeiras palavras do capitão Nemo foram para o canadense.

– Obrigado, mestre Land – disse ele, com simplicidade.

– Eu estava em dívida com o senhor, capitão.

Os lábios do capitão Nemo se distenderam num sorriso pálido e foi tudo que se falaram sobre o fato.

– Para o Náutilus – ordenou o capitão.

Às oito e meia estávamos a bordo do submarino.

Analisando os incidentes de nossa excursão ao banco de ostras, duas observações surgiram inevitavelmente em minhas conclusões. Uma delas dizia respeito à audácia do capitão Nemo. Eu mal podia acreditar que um ser humano fosse dotado de tanta coragem. A outra fora a dedicação que demonstrara por um homem, por um representante da raça de que ele fugia. Aquele estranho capitão Nemo ainda não conseguira matar completamente dentro de si os seus bons sentimentos.

Quando lhe fiz notar isso, respondeu-me um pouco comovido:

– Esse indiano, professor, é um habitante de regiões oprimidas e eu sou e sempre serei dessas regiões.

Capítulo 4
O Mar Vermelho

Durante o dia 29 de janeiro, a ilha de Ceilão desapareceu no horizonte. Navegando à velocidade de trinta quilômetros por hora, o Náutilus penetrou no labirinto de canais que separa as Maldivas, das Laquedivas. Passou ao largo da ilha Kittan, terra de origem madrepórica descoberta por Vasco da Gama em 1499 e uma das principais ilhas do arquipélago das Laquedivas.

No dia seguinte, 30 de janeiro, quando o submarino subiu à superfície não havia nenhuma terra à vista. Ele seguia a rota nor-noroeste e se dirigia para o mar de Omã, encravado entre a Arábia e a península da Índia, onde desemboca o Golfo Pérsico.

Aonde estaria nos conduzindo o capitão Nemo? Eu o ignorava por completo. Quando Ned Land me perguntou para onde íamos, não tive uma resposta para dar a ele.

– Vamos para onde a fantasia do capitão Nemo quiser – foi o que pude responder.

– Essa fantasia não o levará longe – respondeu Ned Land. – O Golfo Pérsico não tem saída e se lá entrarmos, não tardaremos a voltar para trás.

– Pois bem, mestre Land, voltaremos. Se depois do Golfo Pérsico o capitão quiser visitar o Mar Vermelho, o estreito de Bab-el-Mandeb continua lá para nos dar passagem.

– Não sou eu que vou querer ensiná-lo alguma coisa, professor. Mas o Mar Vermelho está tão fechado como o golfo, uma vez que o istmo de Suez ainda não foi aberto. Mesmo que estivesse pronta essa passagem, um navio. misterioso como o nosso não se arriscaria naqueles canais cheios de comportas. Portanto, o Mar Vermelho não será o caminho que nos conduzirá à Europa.

– Eu não disse que íamos a caminho da Europa.

– O que acha então?

– Acho que depois de ter visitado essas curiosas regiões da Arábia e do Egito, o Náutilus tornará a descer o Oceano Índico, talvez através do canal de Moçambique, talvez ao largo das Mascarenhas, de forma a chegar ao Cabo da Boa Esperança. – disse eu.

– E uma vez chegados ao Cabo da Boa Esperança? – perguntou o canadense, com teimosa insistência.

– Uma vez chegados lá, penetraremos no Atlântico, que ainda não conhecemos. Meu amigo Ned, não me diga que não está gostando de nossa viagem submarina! Aborrece-se com o espetáculo incessantemente variado das maravilhas que temos visto? Quanto a mim, confesso que veria com grande tristeza acabar esta viagem.

– Mas, Sr. Aronnax, parece ter esquecido que há três meses estamos prisioneiros a bordo desta embarcação!

– Possivelmente, Ned. Tenho encontrado suficientes motivos para não contar nem horas e nem dias.

– A que conclusão vamos chegar, professor?

– A conclusão virá no tempo devido. Vamos esperá-la. Aliás, nada podemos fazer e por isso discutimos inutilmente. Se você vier me dizer que surgiu uma possibilidade de evasão poderemos discuti-la, mas não temos nada assim em vista. Para lhe falar francamente, acho que o capitão Nemo nunca se aventurará nos mares europeus.

Essa minha conversa com Ned Land dá bem uma ideia de como eu estava fanatizado pelo Náutilus e de quanto me sentia solidário com o seu comandante. Quanto ao canadense, ele terminou o nosso diálogo com algumas palavras praticamente monologadas:

– Tudo isso pode ser muito bonito e bom, mas na minha opinião, onde há obrigação não pode haver prazer.

Saiu em seguida, deixando-me sozinho.

Durante quatro dias, até 3 de fevereiro, o Náutilus esteve no Mar de Omã, navegando a diversas velocidades e profundidades. Parecia navegar ao acaso, como se hesitasse na rota a seguir. Mas nunca ultrapassou o Trópico de Câncer.

Ao deixarmos esse mar, avistamos de passagem a cidade, de Mascate, a mais importante daquela região. Admirei o aspecto estranho no meio dos rochedos negros que a rodeiam e sobre os quais se destacam as casas e os fortes pintados de branco. Distingui as abóbadas arredondadas de suas mesquitas, as agulhas elegantes dos seus minaretes, os seus frescos e verdejantes terraços. Mas tudo não passou de uma rápida visão e o Náutilus não demorou a mergulhar novamente nas águas sombrias.

Depois, a uma distância de dez quilômetros, percorreu as costas arábicas de Mahrah e Hadramaut, com as suas linhas onduladas de montanhas. No dia 5 de fevereiro entramos finalmente no golfo de Adem, verdadeiro funil metido no Estreito de Bab-el-Mandeb, onde entram as águas índicas do Mar Vermelho.

No dia 6 de fevereiro, o submarino vagava à vista de Adem, empoleirada num promontório e ligada ao continente por um estreito istmo, uma espécie de Gibraltar inacessível, cujas fortificações foram reconstruídas pelos ingleses depois de o terem dominado em 1839. Distingui os minaretes octogonais dessa cidade que foi outrora o entreposto mais rico e com mais comércio da costa, segundo o historiador Edrisi. No dia seguinte, entramos no Estreito de Bab-el-Mandeb cujo nome na língua árabe quer dizer "a porta das lágrimas". Esse canal tem apenas trinta quilômetros de largura e dois quilômetros de comprimento. O Náutilus, navegando a toda velocidade, atravessou-o em uma hora, mantendo-se sempre submerso. A passagem era cruzada por muitos vapores ingleses e franceses das linhas de Suez a Bombaim, a Calcutá, a Melbourne, a Bourbon, e a Maurícia. Logicamente o nosso submarino não poderia se arriscar na superfície daquelas águas.

Finalmente ao meio-dia sulcávamos as águas do Mar Vermelho, esse célebre lago de tradições bíblicas, que as chuvas nunca refrescam, que não é regado por nenhum rio importante, que uma evaporação excessiva absorve todos os anos uma camada líquida com um metro e meio de altura!

Nem sequer tentei compreender o capricho que levara o capitão Nemo até ali. Fosse ele qual fosse, eu o aprovei sem reservas.

No dia 8 de fevereiro, desde as primeiras horas do dia, avistamos Moca, cidade em ruínas, cujas muralhas não mais resistiriam ao simples troar de um canhão. Outrora ela fora um centro importante, com vários mercados públicos, vinte e seis mesquitas e uma muralha de três quilômetros de comprimento com quatorze fortes.

Depois o Náutilus aproximou-se das margens africanas onde a profundidade do mar é maior. Ali podíamos admirar, através dos painéis abertos, os belos corais e as vastas extensões de rochedos revestidos de uma esplêndida cobertura de algas. Que espetáculo indescritível e que variedade de locais e paisagens deslumbrantes se descortina nas ilhotas vulcânicas que confinam na costa líbia!

No dia 9 de fevereiro o Náutilus navegava na parte mais larga do Mar Vermelho, a que fica compreendida entre Suakin na costa oeste e Quonfodah na costa leste. Nesse dia às doze horas o capitão Nemo subiu à plataforma onde eu me encontrava. Prometi a mim mesmo não o deixar descer sem sondá-lo sobre os seus projetos futuros. Assim que me viu, ele me ofereceu um cigarro.

– Observou bem as maravilhas do Mar Vermelho, professor? – perguntou, com um semblante alegre.

– Sim, capitão. Vi coisas incríveis. O Náutilus presta-se maravilhosamente bem para essas observações. É sem dúvida uma embarcação inteligente! Estou encantado.

– É uma embarcação inteligente, audacioso e invulnerável, professor. Não receia nem as terríveis tempestades, nem as correntes, nem os escolhos do Mar Vermelho.

– De fato, capitão, este mar é citado entre os mais perigosos do globo. Na antiguidade a sua fama era horrível.

– Exatamente, professor. Os historiadores gregos e latinos nunca falam bem dele. Estrabão afirma que ele é particularmente perigoso na época dos ventos etésios e na estação das chuvas. O árabe Edrisi, que o chama de Golfo de Colzoum, conta que numerosos navios encalhavam nos seus bancos de areia e que ninguém se arriscava a navegar nele à noite. Era, ainda segundo Edrisi, um mar sujeito a terríveis furacões, semeado de ilhas inóspitas e "não oferece nada de bom", nem nas suas profundezas nem à superfície.

– Vê-se bem que esses historiadores não viajaram a bordo do Náutilus – falei, certo de que o capitão ficaria satisfeito.

– É verdade – concordou ele sorrindo. – Quanto a viajar em barcos iguais ao meu, os homens de hoje não estão mais adiantados do que os antigos. Foram precisos muitos séculos para que se descobrisse a força mecânica do vapor. Quem sabe se de hoje a cem anos se verá um segundo Náutilus? O progresso é quase sempre lento, Sr. Aronnax.

– De fato, capitão, o seu barco está avançado um século ou talvez mais em relação à sua época. Que infelicidade que este segredo deva morrer com o seu inventor!

O capitão Nemo não me respondeu. Percebi que minha observação não tinha sido feliz, mas o nosso diálogo me interessava. Para retomá-lo, lhe fiz uma pergunta que sabia ser do seu agrado.

– Pode me informar sobre a origem do nome deste mar, capitão?

– Existem numerosas explicações sobre o assunto. Quer saber a opinião de um cronista do século XIV?

– Com todo o gosto.

– Há uma teoria de que o nome lhe foi dado depois da passagem dos israelitas, quando o faraó e o seu povo teriam perecido nas águas que se fecharam a uma ordem de Moisés: "Devido a este milagre tornou-se o mar vermelho e não sabendo como nomeá-lo, Mar Vermelho lhe chamaram."

– Explicação de poeta, capitão Nemo, com a qual não me contento. Gostaria de saber a sua opinião pessoal.

– Pois, Sr. Aronnax, na minha opinião deve-se ver neste nome uma tradução da palavra hebraica "edrom". Se os antigos lhe deram esse nome foi por causa da cor característica de suas águas.

– Mas até agora só vi águas límpidas, sem qualquer coloração especial. Observei isso, premeditadamente.

– Sem dúvida. Mas avançando para o extremo do golfo o senhor irá notar essa aparência peculiar. Lembro-me de ter visto a baía de Tor completamente vermelha, igual a um lago de sangue.

– E o senhor atribui essa cor à presença de alguma alga?

– Sim. Trata-se de uma matéria mucilaginosa purpúrea produzida por plântulas conhecidas pelo nome de *trichodesmies*.

– Já que me falou da passagem dos israelitas e da catástrofe sofrida pelos egípcios, gostaria de saber se encontrou sob as águas algum vestígio desse grande acontecimento histórico.

– Não, e por um bom motivo.

– Qual?

– É que o local exato onde Moisés passou com o seu povo está hoje completamente atulhado de areia, de tal forma que os camelos o atravessam sem quase molhar as patas. O Náutilus não poderia chegar lá.

– E o local exato? – perguntei.

– Fica situado um pouco acima de Suez, no braço que outrora formava um profundo estuário, quando o Mar Vermelho se estendia até os lagos salgados. Se a passagem foi milagrosa ou não, não posso afirmar, mas que os israelitas lá passaram para chegar à Terra Prometida e que os egípcios lá pereceram, não tenho dúvidas. Penso que escavações feitas no local revelariam grande quantidade de armas de origem egípcia.

– Temos de esperar que os arqueólogos façam essas escavações. Isso acontecerá mais cedo ou mais tarde, quando se estabelecerem cidades novas na região, depois de aberto o Canal de Suez. Aliás, lembro-me de dizer que esse canal será completamente inútil para um barco como o seu, capitão.

– Será útil ao mundo inteiro, professor. Os povos antigos já tinham compreendido que seria útil para os seus negócios estabelecer uma comunicação entre o Mar Vermelho e o Mediterrâneo, mas nunca imaginaram cavar um canal direto entre os dois mares e escolheram o Nilo como ligação intermediária. O precário canal que ligava o Nilo ao Mar Vermelho acabou-se antes do ano mil da nossa era.

– O que os povos antigos não ousaram empreender, a junção entre os dois mares, que encurtará em nove mil quilômetros o caminho de Cádis à Índia, foi feito por Lesseps e dentro de pouco tempo transformará a África numa enorme ilha.

– Sim, professor. O senhor tem o direito de se sentir orgulhoso do seu compatriota. É um homem que honra a sua pátria. Começou, como tantos outros, por ter contrariedades e ouvir recusas, mas acabou por triunfar porque tem gênio e vontade. Honra portanto a Lesseps!

– Sim, honra seja feita a esse grande cidadão – falei, surpreendido com o entusiasmo do capitão.

– Infelizmente não posso conduzi-lo através do Canal de Suez, mas poderá ver Port Said depois de amanhã, quando entrarmos no Mediterrâneo.

– No Mediterrâneo! – exclamei.

– Sim, professor. Isso o surpreende?

– O que me surpreende é estarmos lá depois de amanhã, embora já esteja me acostumando a não me surpreender com coisa alguma desde que estou a bordo do Náutilus.

– Então, qual é a surpresa?

– É a velocidade fantástica que o senhor terá de imprimir à sua embarcação para chegarmos ao Mediterrâneo em apenas dois dias. Terá que contornar a África e dobrar o Cabo da Boa Esperança!

– E quem lhe disse que faremos a volta à África? Quem lhe falou em dobrarmos o Cabo da Boa Esperança?

– A não ser que o Náutilus navegue em terra firme e passe por cima do istmo...

– Ou por baixo, Sr. Aronnax.

– Por baixo?

– Sem dúvida – respondeu-me tranquilamente o capitão. – Há muito tempo que a natureza fez sob esta língua de terra o que os homens fazem agora por cima. Existe uma passagem subterrânea à qual dei o nome de Túnel Árabe. Começa por baixo de Suez e acaba no golfo de Pelusa.

– E foi por acaso que descobriu essa passagem? – perguntei, cada vez mais surpreendido.

– Foi o acaso e também o raciocínio, professor. Diria até que foi mais o raciocínio do que o acaso.

– Estou ouvindo, capitão, mas os meus ouvidos continuam a duvidar do que ouvem.

– Foi um simples raciocínio de naturalista que me levou à descoberta dessa passagem que só eu conheço. Notei que no Mar Vermelho e no Mediterrâneo existem certos peixes de espécies absolutamente idênticas. Ciente disso, interroguei-me se não existiria comunicação entre os dois mares. Se existisse, a corrente subterrânea tinha forçosamente de correr do Mar Vermelho para o Mediterrâneo, devido à diferença de níveis. Assim, pesquei numerosos peixes nas margens do Suez, coloquei anilhas nas caudas e lancei-os de novo ao mar. Alguns meses mais tarde, nas costas da Síria apanhei alguns peixes com os meus anéis. A comunicação entre os dois mares estava, portanto, provada. Procurei-a com o Náutilus e a descobri. Aventurei-me por ela e deu certo. Aliás, em pouco tempo o senhor estará passando pelo meu Túnel Árabe.

Capítulo 5
O Túnel Árabe

Naquele mesmo dia contei a Conselho e a Ned Land a parte de minha conversa com o capitão Nemo que interessava diretamente a eles. Quando lhes disse que dentro de dois dias estaríamos em pleno Mediterrâneo, Conselho aplaudiu e o canadense encolheu os ombros.

– Um túnel submarino! Uma comunicação entre os dois mares! Quem é que já ouviu falar disso? – perguntou ele, incrédulo.

– Meu caro Ned, – disse-lhe Conselho – já tinha ouvido falar do Náutilus? Não. No entanto ele existe. Não encolha os ombros com tanta facilidade e não recuse as coisas por nunca ter ouvido falar delas.

– Veremos – retrucou Ned Land, abanando a cabeça. – Afinal de contas eu espero que essa passagem exista mesmo e que o capitão nos leve realmente para o Mediterrâneo.

Desinteressei-me de que a nossa conversa continuasse.

No dia seguinte, 10 de fevereiro, avistamos alguns navios e o Náutilus retomou a sua navegação submarina. Ao meio-dia o mar estava deserto e ele subiu à superfície.

Acompanhado por Ned Land e Conselho subi para a plataforma. Para leste, a costa mostrava-se como uma massa diluída num nevoeiro úmido. Apoiados no casco do bote conversávamos sobre diversos assuntos, quando Ned Land apontou para um ponto no mar e disse:

– Há qualquer coisa ali, professor.

– Não vejo nada, Ned. Mas reconheço que não tenho a sua visão.

– Olhe bem para ali, para estibordo, mais ou menos na altura do farol. Não vê uma massa que parece mexer-se?

– De fato – falei, após uma observação mais atenta. – Vejo um corpo escuro na superfície das águas.

– Há baleias no Mar Vermelho? – perguntou meu criado.

– Às vezes se encontram algumas – respondi.

– Não se trata de uma baleia – afirmou Ned Land. – As baleias e eu somos velhos conhecidos e eu não me enganaria com o seu aspecto.

– O Náutilus está se dirigindo para o local – disse Conselho. – Não tardaremos a saber do que se trata.

Dentro de pouco tempo o tal objeto escuro estava apenas a um quilômetro e meio de distância. Parecia um grande recife encalhado em pleno mar.

– Move-se e mergulha – falou Ned Land. – Com mil diabos! Que animal será aquele? Não tem a cauda bifurcada como as baleias ou os cachalotes...

– Bom, agora está de costas, tem o peito para o ar!

– É uma sereia! – gritou Conselho. – Uma verdadeira sereia, com a sua licença.

Esse nome deu-me a pista e descobri que o animal pertencia a essa ordem de seres marinhos, cuja lenda fez das sereias metade mulheres metade peixes.

– Não é uma sereia, Conselho, mas é um ser curioso de que restam apenas alguns exemplares no Mar Vermelho. É um dugongo.

Entretanto Ned Land continuava a olhar o animal, como o caçador olha a sua caça. Sua mão parecia pronta para arpoar.

Naquele momento o capitão Nemo apareceu na plataforma e viu o dugongo. Viu também a atitude de Ned Land e disse para ele:

– Se estivesse com um arpão na mão, mestre Land, ele estaria a queimá-la, não é verdade?

– Acertou, capitão.

– Gostaria de retomar por um dia a sua profissão de pescador e acrescentar esse cetáceo à lista daqueles que já matou?

– Gostaria muito, senhor.

– Pois bem, pode tentar. Só que o aconselho a não falhar com esse animal.

– O dugongo é perigoso quando atacado? – perguntei ao capitão.

– Sim. Costuma virar-se contra os seus perseguidores e afundar a embarcação. Mas para mestre Land ele não constituirá perigo. Já notei que o nosso amigo tem o olhar pronto e o braço seguro.

O capitão nos deixou e deu algumas ordens a seus homens. No mesmo instante um deles trouxe um arpão e uma linha semelhante aos que são utilizados pelos pescadores de baleias. O bote foi retirado e lançado ao mar. Seis remadores tomaram seus lugares e o timoneiro pegou no leme. Ned, Conselho e eu sentamo-nos à ré.

– Não vem conosco, capitão? – perguntei.

– Não, professor, mas, mesmo assim, lhes desejo uma boa caçada.

O bote desatracou e impelido pelos seis remos dirigiu-se rapidamente para o dugongo que flutuava a cerca de três quilômetros do Náutilus. Chegados a algumas braças do cetáceo, abrandamos a marcha e os remos mergulharam sem ruído nas águas tranquilas. Ned Land, de arpão na mão, levantou-se e foi para a proa. O arpão que serve para matar as baleias está geralmente ligado a uma longa corda que se desenrola rapidamente, quando o animal ferido se afasta. Mas aqui a corda não media mais do que vinte metros, e a sua extremidade estava presa a um pequeno barril flutuante que nos indicaria a marcha do dugongo sob as águas.

Tinha-me levantado e observava cuidadosamente o adversário do canadense. O corpo oblongo terminava por uma cauda muito alongada e as barbatanas laterais por verdadeiros dedos. Tinha o maxilar superior armado com dois longos e pontiagudos dentes. Aquele era de grandes proporções, ultrapassando os sete metros de comprimento. Não se mexia e parecia dormir à superfície das águas, circunstância que tornava a sua captura mais fácil.

O bote aproximou-se prudentemente até três braças do animal e os remos foram suspensos nos descansos. Ned Land, com o corpo ligeiramente projetado para trás, brandia o arpão com mão experiente.

Naquele momento ouviu-se um silvo e o dugongo desapareceu. O arpão, lançado com toda a força, sem dúvida tinha acertado no alvo.

– Com mil diabos! – exclamou o canadense, furioso. – Falhei!

– Não – disse eu. – O animal está ferido porque há sangue nas águas, mas o arpão não ficou preso ao corpo dele.

– O meu arpão! – gritou Ned Land.

Os marinheiros recomeçaram a remar e o timoneiro dirigiu o bote para o barril flutuante. Recuperado o arpão, começou a perseguição ao animal ferido. De vez em quando ele subia à superfície para respirar. O ferimento não o enfraquecera porque avançava com extrema rapidez de um ponto para outro. A embarcação, manobrada por braços vigorosos, voava no seu encalço. Por várias vezes se aproximou dele até a uns vinte metros de distância, e o canadense preparava-se para arpoar, mas o dugongo desaparecia, mergulhando subitamente.

Estivemos a persegui-lo durante uma hora e eu já começava a crer que seria muito difícil apanhá-lo, quando o animal foi acometido por uma infeliz ideia de vingança. Voltou-se para o bote, disposto a atacar. Ned Land entendeu a intenção dele e gritou para os homens dos remos que ficassem atentos.

Chegando a uns seis metros da nossa embarcação, o dugongo parou e aspirou bruscamente o ar com suas enormes narinas. Depois, com todas as suas forças precipitou-se em nossa direção. O timoneiro não pôde evitar o choque. Contudo ele foi extremamente hábil e fomos abalroados de lado livrando-nos de que o bote se virasse.

Ned Land, agarrado à roda de proa, enchia de arpoadas o corpo do gigantesco animal. Com os dentes cravados na armadura do bote, a fera o levantava fora da água e o sacudia tentando desmantelá-lo. Caímos uns sobre os outros, e não sei como teria acabado aquela aventura se o canadense, sempre encarniçado contra o animal, não tivesse conseguido atingi-lo no coração.

O dugongo desapareceu arrastando consigo o arpão, mas o barril não demorou a voltar à superfície e instantes depois apareceu o corpo do animal, de barriga para cima. O bote aproximou-se dele, passou-lhe um reboque e dirigiu-se para o Náutilus.

No dia seguinte, 11 de fevereiro, o submarino navegava com velocidade moderada. Quase se podia dizer que vagava ao sabor do vento. Observei que as águas do Mar Vermelho se tornavam menos salgadas à medida que nos aproximávamos de Suez. Por volta das cinco horas da tarde avistamos para o norte o cabo Rãs Mohammed que forma a extremidade da Arábia Pétrea, compreendida entre o golfo de Suez e o golfo de Akaba.

O Náutilus penetrou no estreito de Jubal que conduz ao golfo de Suez. Distingui perfeitamente uma alta montanha, dominante entre os dois golfos e o Rãs Mohammed. Era o monte Horeb, esse Sinai no cimo do qual Moisés viu Deus e que a imaginação popular vê sempre rodeado de clarões.

As seis horas, o Náutilus, ora emergindo ora submergindo, passava ao largo de Tor, situada ao fundo de uma baía cujas águas pareciam tingidas de vermelho. Depois anoiteceu no meio de um pesado silêncio, por vezes interrompido pelo grito de algum pelicano, pelo ruído das águas ou pelo apito longínquo de um vapor cortando as águas do golfo com as suas hélices.

Das oito às nove, o Náutilus manteve-se submerso a alguns metros de profundidade. Segundo os meus cálculos, devíamos estar bem perto de Suez. Através dos painéis do salão eu vi fundos de rochedos nitidamente iluminados pela nossa luz elétrica. Parecia-me que o estreito se apertava cada vez mais.

Às nove e um quarto o barco subiu à superfície e eu fui para a plataforma. Na sombra consegui distinguir uma luz pálida, meio descolorada pela bruma, que brilhava a um quilômetro e meio de distância. Virei-me e vi o capitão Nemo ao meu lado.

– É o farol flutuante de Suez – informou-me ele. – Agora falta muito pouco para chegarmos à entrada do túnel...

– A entrada não deve ser de fácil acesso...

– De fato não é, professor. Costumo ir ao leme para dirigir a manobra. Agora vamos descer porque o Náutilus vai submergir e só voltará à superfície depois de ter passado o Túnel Árabe.

Eu o segui e o alçapão fechou-se atrás de nós. Os reservatórios se encheram de água e o submarino imergiu uma dezena de metros.

– Gostaria de me acompanhar até a cabina de pilotagem, professor? – perguntou o capitão.

– Nem ousava pedir-lhe – respondi.

– Venha – chamou-me. – Assim poderá observar tudo que há para ver desta navegação subterrânea e ao mesmo tempo submarina.

Conduziu-me para a escada central. A meio dela ele abriu uma porta e seguimos pelos corredores superiores até a cabina do piloto, que se elevava na extremidade da plataforma.

Era um recinto com dois metros de lado, semelhante às cabinas dos barcos a vapor que navegam no Mississípi e no Hudson. No meio tinha uma roda de leme colocada verticalmente, à qual estavam presos os cabos que corriam até a ré do Náutilus. Quatro vigias de vidro, abertas nas paredes da cabina, permitiam ao homem do leme olhar em todas as direções.

A cabina era um tanto escura, mas habituei-me rapidamente à semiobscuridade e vi o piloto, um homem vigoroso; com as mãos apoiadas no leme. No exterior o mar aparecia vivamente iluminado pelo farol que brilhava na parte de trás da cabina, na outra extremidade da plataforma.

– Agora procuremos a passagem – disse o capitão.

A cabina do timoneiro estava ligada à casa das máquinas por fios elétricos e dali o capitão Nemo podia comunicar-se com os homens que estavam lá. Ele apertou um botão de metal e a velocidade da hélice diminuiu imediatamente.

Observei em silêncio a alta muralha ao lado da qual estávamos passando naquele momento. Nós a seguimos durante uma hora, apenas a alguns metros de distância. O capitão Nemo não tirava os olhos da bússola suspensa na cabina. Com um gesto simples o timoneiro modificava a cada momento a direção do barco.

Eu me colocara na vigia de bombordo e apreciava as magníficas construções de corais, algas e crustáceos que agitavam as suas compridas patas estendendo-as para fora das rochas. Às dez e quinze o capitão tomou o leme. Uma grande galeria, escura e profunda, abria-se diante de nós e o Náutilus corajosamente penetrou nela. Ouvi um ruído estranho. Eram as águas do Mar Vermelho que a vertente do túnel precipitava no Mediterrâneo. O submarino seguia a corrente, rápido como uma flecha, apesar dos esforços das máquinas para frearem a sua velocidade.

Nas muralhas estreitas da passagem eu via apenas riscas brilhantes, linhas retas, sulcos de fogo traçados pela velocidade sob o brilho da iluminação elétrica. Meu coração acelerou e eu tive de comprimi-lo com a mão.

Às dez horas e trinta e cinco minutos, o capitão Nemo abandonou o leme, virou-se para mim e falou:

– Estamos no Mediterrâneo!

Em menos de vinte minutos o Náutilus, impelido pela corrente, havia chegado ao istmo de Suez.

Capítulo 6

O arquipélago grego

No dia seguinte, 12 de fevereiro, pela manhã, o Náutilus subiu à superfície. Corri para a plataforma. Para o sul, a cinco quilômetros de distância, desenhava-se a vaga silhueta de Pelusa. Uma corrente nos tinha levado de um mar para o outro, mas aquele túnel fácil para descer, seria impossível de subir.

Mais ou menos às sete horas, Ned Land e Conselho foram ao meu encontro. Os dois tinham dormido tranquilamente a noite inteira e não sabiam da proeza do Náutilus.

– E então, professor, onde está esse Mediterrâneo ao qual chegaríamos em dois dias? – perguntou-me o canadense em tom crítico.

– Estamos navegando nele, amigo Ned.

– Como nele? Foi esta noite?

– Sim. Exatamente esta noite. Em poucos minutos passamos o istmo intransponível.

– Não acredito! – teimou ele.

– Pois faz mal, mestre Land. Olhe para aquela costa baixa que se arredonda para o sul. É a costa do Egito.

– Não queira me fazer de tolo, professor!

– Se o Sr. Aronnax diz que aquela é a costa egípcia, temos de acreditar, Land – disse Conselho.

– Aliás, o capitão Nemo teve a gentileza de me convidar para ficar com ele na cabina de pilotagem durante a travessia do túnel. Ele próprio dirigiu o submarino através da passagem.

– Ouviu isso, Ned? – perguntou-lhe Conselho, em tom de censura. – Aliás, Ned – acrescentei –, você tem boa vista e pode ver os molhes de Port Said.

Ele olhou com atenção e se convenceu de que minha informação era válida. Sorriu inexpressivamente e disse:

– Na verdade, o senhor tem razão, professor. Esse capitão Nemo é um grande mestre dos mares. Estamos realmente no Mediterrâneo. Já que é assim, podemos falar dos nossos assuntos. Conversaremos em voz baixa para que ninguém nos ouça.

Eu sabia a que "nossos assuntos" ele se referia. O tema não me agradava mas achei que seria melhor ouvi-lo, já que ele fazia questão disso. Sentamo-nos perto do farol, onde estávamos mais abrigados dos salpicos das ondas e onde havia menor possibilidade de sermos ouvidos por algum dos homens da tripulação.

– Estamos prontos para ouvi-lo, Ned. O que tem para nos dizer?

– O que tenho para dizer é muito simples – respondeu ele. – Estamos na Europa e eu proponho que ajamos, antes que os, caprichos do capitão Nemo nos levem para os mares polares ou para a Oceania. Preparemo-nos para abandonar o Náutilus.

Confesso que esse tipo de conversa com Ned Land sempre me deixava deprimido. Eu não queria de maneira alguma servir de entrave à liberdade de meus companheiros. Ao mesmo tempo não sentia nenhum desejo de deixar o capitão Nemo. Graças a ele e ao seu navio, eu ia completando os meus estudos submarinos e refazia o meu livro sobre essa matéria, em condições realmente excepcionais. Teria eu outra ocasião como aquela para observar as maravilhas dos oceanos? Certamente que não. Eu não podia aceitar a ideia de abandonar o Náutilus antes do término da viagem que o capitão se dispusera a fazer comigo. Não me importavam as condições pessoais em que ela estava sendo feita.

– Responda-me francamente, Ned – falei, depois de uma pausa para refletir. – Você se aborrece a bordo? Lamenta que o destino o tenha posto nas mãos do capitão Nemo?

Ele pensou durante alguns instantes, cruzou os braços e me respondeu com a franqueza que lhe pedi.

– Francamente não vejo razão para me lamentar desta viagem submarina. Ficarei contente por tê-la feito. Veja que estou falando como se ela já tivesse terminado, professor. Ou terminando. É isso que eu quero e é nisso que eu penso.

– A nossa viagem não está terminando, Ned. Mas um dia ela terá que acabar.

– Onde e quando?

– Onde? Não sei. Quando? Não posso dizer. Acho que acabará quando esses mares já não tiverem mais nada para nos ensinar. Tudo o que começou tem forçosamente de acabar.

– Penso como o senhor – disse Conselho. – E possível que depois determos percorrido todos os mares do globo, o capitão Nemo simplesmente nos deixe livres no porto que escolhermos.

– Não partilho de sua opinião, Conselho – surpreendi o meu criado. Conhecemos os segredos do Náutilus e acho que o capitão Nemo não se resignará a vê-los divulgados por nós. Portanto não creio que nos porá em liberdade da maneira que você supõe.

– Mas então o que espera o senhor? – quis saber o canadense.

– Que surjam oportunidades de escaparmos de hoje a seis meses, digamos. Então nós as aproveitaremos.

– Ora essa, professor! – exclamou Ned Land. – Pode me dizer onde estaremos de hoje a seis meses?

– Talvez aqui, talvez na China. Sabe que o Náutilus anda depressa. Atravessa os oceanos como uma andorinha atravessa os ares. Não receia os mares frequentados. Quem nos diz que ele não visitará as costas da França, da Inglaterra ou da América, onde será muito mais vantajoso tentarmos uma fuga?

– Os seus argumentos não me convencem, Sr. Aronnax – retrucou Ned Land.

– O senhor fala sobre o futuro: estaremos aqui, estaremos ali. Mas eu falo do presente. Estamos aqui e devemos aproveitar a ocasião.

A lógica dele era irrefutável sob o seu ponto de vista. Dificilmente eu arranjaria argumentos para convencê-lo a esperar a ocasião que atendia aos meus interesses.

– Vejamos, professor – continuou ele, insistente. – Se o capitão Nemo lhe oferecesse a liberdade hoje mesmo, aceitaria?

– Não sei – respondi, com honestidade.

– E se ele lhe dissesse que essa oferta nunca mais se repetiria?

Não respondi. Ele se voltou para o meu criado:

– Qual é a opinião do amigo Conselho sobre o assunto?

– O amigo Conselho não tem opinião. Está absolutamente desinteressado do assunto. Tal como o seu patrão, tal como o camarada Ned, ele também é solteiro. Não o esperam nem mulher, nem pais e nem filhos. Está a serviço do professor e fala como ele. Embora o lamente, não se pode contar com o amigo Conselho para fazer uma maioria. Para decidir esse assunto só há duas pessoas aqui. O meu amo de um lado e Ned Land do outro. Era só o que eu tinha a dizer.

Não pude deixar de sorrir com a inteligente saída de meu criado, embora ele estivesse anulando totalmente a sua personalidade.

– Então, professor – disse Ned Land. – Uma vez que Conselho não existe, vamos discutir nós dois. Falei e o senhor ouviu. Qual é a sua resposta?

Ele me apertou e eu tinha de lhe responder. As evasivas sempre me repugnaram.

– Amigo Ned, vou lhe dar a minha resposta. Você tem razão e os meus argumentos são fracos diante dos seus. Mas não devemos contar com a boa vontade do capitão Nemo. A prudência mais elementar não permite que ele nos ponha em liberdade. Por outro lado, essa mesma prudência nos manda aproveitar a primeira ocasião que surgir para deixarmos o Náutilus.

– Até agora falou sensatamente, Sr. Aronnax – elogiou ele. – Mas é necessário que a ocasião seja absolutamente certa, Ned. É preciso que a nossa primeira tentativa de fuga não falhe. Se isso acontecer, o capitão Nemo não nos perdoará e jamais teremos outra oportunidade para deixar este navio.

– Isso tudo é verdade, senhor. Mas aplica-se a qualquer tentativa de fuga que fizermos, quer tenha lugar hoje ou daqui a dois anos. Portanto, a questão continua a ser: devemos ou não aproveitar uma ocasião favorável para tentarmos a fuga?

– Quero preveni-lo de que o capitão Nemo sabe que não renunciamos à esperança de recuperar a nossa liberdade. Ele estará sempre alerta, especialmente nos mares à vista de costas europeias.

– Sou da mesma opinião – manifestou-se Conselho.

– Veremos – disse Ned Land, com ar bastante determinado.

– E agora, mestre Land – falei para encerrar o assunto – fiquemos por aqui e nem mais uma palavra sobre isso. No dia em que estiver pronto para a tentativa, avise-nos e seremos seus companheiros.

Essa nossa conversa viria a ter graves consequências.

No dia seguinte, 14 de fevereiro, aconteceu um fato que me pareceu muito importante. Como sempre fazia quando o submarino navegava submerso, eu ficava de olhos pregados nos painéis do grande salão, olhando as maravilhas da fauna marítima e fazendo minhas anotações. Nesse dia eu fui surpreendido por uma aparição realmente inesperada no painel.

No meio das águas apareceu um homem, um mergulhador, tendo à cintura uma bolsa de couro. Não era um corpo abandonado nas águas. Estava vivo e nadava com braçadas vigorosas, desaparecendo de vez em quando, possivelmente para ir à superfície respirar e voltando a aparecer no vidro do painel.

Virei-me para o capitão Nemo e lhe disse:

– Um homem, capitão, ali no painel! Deve ser um náufrago. Ele não me respondeu coisa alguma e veio encostar-se ao vidro. O homem o viu e se aproximou do painel. Para minha grande surpresa os dois se cumprimentaram com acenos de mão. O homem subiu imediatamente à superfície e não apareceu mais.

– Não fique preocupado, professor – disse-me o capitão. – É Nicolas, do cabo Matapão, alcunhado de Peixe. É um mergulhador arrojado e a água é o seu elemento.

Enquanto eu o olhava admirado, sem saber o que dizer, o capitão dirigiu-se para um móvel colocado perto do painel esquerdo do salão. Junto do móvel eu vi um cofre guarnecido com aros de ferro. Sem se preocupar com a minha presença, ele abriu o móvel e o seu conteúdo me deixou estupefato. Estava cheio de lingotes de ouro. O capitão Nemo foi pegando-os um a um e arrumando-os metodicamente no cofre, até enchê-lo completamente. Calculei que seriam uns mil quilos de ouro. O cofre foi hermeticamente fechado e o capitão escreveu um endereço em sua tampa com caracteres que deveriam ser de grego moderno.

Feito isso ele apertou um botão sob o painel e apareceram alguns homens que, com bastante dificuldade, levaram o cofre para fora do salão. Depois eu ouvi que o içavam por meio de roldanas pela escada de ferro.

Naquele momento o capitão virou-se para mim e disse:

– Estava falando, professor...

– Eu não disse nada, capitão.

– Então, se me dá licença, desejo-lhe boa-noite.

E dito isto deixou o salão.

Fui para o meu quarto, mas não consegui dormir. Haveria alguma relação entre o aparecimento do mergulhador e o cofre cheio de ouro? O caso me intrigava seriamente. Pouco depois percebi que o Náutilus deixava as camadas inferiores e subia à superfície. Em seguida, eu ouvi ruído de passos na plataforma e percebi que soltavam o bote e o lançavam ao mar. Duas horas mais, tarde eu ainda estava acordado quando escutei o movimento do retorno do bote para o seu lugar. O Náutilus mergulhou de novo nas águas do Mediterrâneo.

Os milhões tinham sido levados ao seu destinatário. Quem seria ele? Quando contei aos meus companheiros o que havia presenciado, eles ficaram tão surpreendidos quanto eu.

No dia seguinte deixamos a bacia que fica entre Rodes e Alexandria. Passando ao largo de Cérigo, o Náutilus abandonou o arquipélago grego, depois de ter dobrado o cabo Matapão.

Capítulo 7

O Mediterrâneo em 48 horas

O Mediterrâneo, o mar azul por excelência, o *grande mar* dos hebreus, o *mar* dos gregos, o *mare nostrum* dos romanos, orlado de laranjeiras, de aloés, de cactos, de pinheiros bravos, envolto no perfume dos mirtos, enquadrado por rudes montanhas, saturado de um ar puro e transparente, mas incessantemente trabalhado pelos fogos terrestres, é um campo de batalha onde Netuno e Plutão ainda disputam o domínio do mundo. É ali, nas suas praias e nas suas águas, diz Michelet, que o homem se recompõe num dos melhores climas da terra. Contudo, por mais belo que seja, apenas pude dar uma rápida olhada naquela bacia, cuja superfície cobre dois milhões de quilômetros quadrados. Os conhecimentos pessoais do capitão Nemo fizeram-me certa falta. Ele não me apareceu durante toda a travessia do Mediterrâneo, feita a grande velocidade.

Calculo em três mil quilômetros a distância que o Náutilus percorreu sob as águas desse mar e a viagem foi concluída em quarenta e oito horas. Partindo na manhã do dia 16 de fevereiro das regiões da Grécia, na madrugada do dia 18 alcançávamos o Estreito de Gibraltar. Foi evidente para mim que o Mediterrâneo, encerrado no meio das terras a que ele queria fugir, não agradava ao capitão Nemo. Suas águas e ventos lhe traziam muitas recordações e, provavelmente, muitos desgostos. Ali ele não tinha aquela liberdade de ação, aquela independência de manobras que lhe davam os oceanos, e o seu Náutilus sentiu-se apertado entre as margens da Europa e da África, tão próximas que são uma da outra.

Por isso a nossa velocidade foi de quarenta quilômetros por hora. Nem preciso dizer que Ned Land, para seu grande pesar, teve de renunciar aos seus planos de fuga. Aliás, o nosso navio só subia à superfície quando era noite, para renovar suas provisões de ar. Navegava pelas indicações da bússola.

Portanto, só vi do Mediterrâneo o que o viajante de um trem expresso avista da paisagem que lhe foge diante dos olhos, isto é, os horizontes longínquos e não os primeiros planos. Estes passam velozmente. No entanto, ele diminuiu a velocidade ao passarmos entre a Sicília e a costa da Tunísia. Nesse espaço, apertado entre o cabo Bon e o estreito de Messina, o fundo do mar sobe quase de repente. Ali formou-se uma verdadeira crista sobre a qual não restam mais do que dezessete metros de água, enquanto de um lado e do outro dessa elevação a profundidade é de cento e setenta metros. Portanto o Náutilus teve que manobrar com prudência para não bater nessa verdadeira barreira submarina.

Mostrei a Conselho, no mapa do Mediterrâneo, o lugar ocupado por esse longo recife.

– Com sua licença – disse ele – isso é um verdadeiro istmo que une a Europa à África.

– De fato é – apoiei a observação dele. – Essa barreira obstrui completamente o Estreito da Líbia. As sondagens de Smith provaram que os continentes outrora estavam unidos entre o cabo Boco e o cabo Furina.

– Acredito nisso, senhor.

– Existe uma barreira semelhante entre Gibraltar e Ceuta, que nos tempos remotos fechava completamente o Mediterrâneo.

Conselho tinha vindo me procurar para continuarmos nossas observações de alguns peixes do Mediterrâneo. Antes que esses assuntos o empolgassem, chamei-o

para nos pormos à espreita diante dos painéis do salão e comecei a fazer os meus apontamentos. Justamente naquele momento, no meio da massa de águas vivamente iluminadas por jorros de luz elétrica, serpenteavam algumas lampreias com um metro de comprimento. Toda a nossa atenção se concentrou nelas.

Durante a noite de 16 para 17 de fevereiro, tínhamos entrado na segunda bacia do Mediterrâneo, onde a maior profundidade é de três mil metros. O Náutilus, sob o impulso de sua hélice, deslizando em planos inclinados, descia às camadas mais profundas do mar.

Ali, à falta de maravilhas naturais, a massa das águas oferecia aos meus olhos cenas comoventes e terríveis. Atravessávamos então a zona do Mediterrâneo mais fértil em sinistros. Da costa argelina ao litoral da Provença, quantos navios naufragados, quantas embarcações desaparecidas! O Mediterrâneo não passa de um lago, se comparado com as vastas extensões líquidas do Pacífico. Mas é um lago caprichoso, de ondas inconstantes, capaz de destruir os navios mais resistentes com as suas ondas curtas, que os flagelam sem descanso.

Nesse rápido passeio através das águas sombrias daquelas profundidades, quantos destroços eu vi jazendo no fundo, uns já envoltos por corais, outros apenas revestidos por uma camada de ferrugem: âncoras, canhões, balas, guarnições de ferro, pás de hélice, pedaços de máquinas, depois cascos flutuando em várias posições.

Dos navios naufragados, uns tinham perecido por colisão, outros por terem batido em escolhos graníticos. Vi alguns que tinham ido a pique com a mastreação inteira e pareciam estar parados num ancoradouro à espera do momento da partida.

Quando o Náutilus passava entre eles e os envolvia com os seus raios elétricos, parecia que aqueles navios iriam saudá-lo com as suas bandeiras e comunicar-lhe os seus números de ordem! Havia apenas o silêncio e a morte naquele campo das catástrofes.

Notei que à proporção em que o Náutilus se aproximava de Gibraltar, mais numerosos eram esses sinistros destroços. Onde as costas da Europa e da África mais se aproximam, os desastres são mais frequentes. Vi numerosas quilhas de ferro, ruínas fantásticas de vapores, uns deitados, outros de pé, semelhantes a formidáveis animais imobilizados na maioria das vezes.

Um desses barcos, com os flancos abertos, a chaminé quebrada, sem rodas, com o leme separado do cadaste e ainda preso por uma cadeia de ferro já corroída pelos sais marinhos, apresentava-se sob um aspecto terrível! Quantas existências ceifadas no seu naufrágio, quantas vítimas arrastadas pelas águas! Teria escapado algum marinheiro para narrar o terrível acontecimento, ou todos teriam morrido?

Não sei por que, lembrei-me de que aquele navio mergulhado no mar podia ser o Atlas, desaparecido havia vinte anos e do qual nunca mais se ouviu falar.

Entretanto, o Náutilus, indiferente e rápido, ia passando entre as ruínas. No dia 18 de fevereiro encontrava-se à entrada do Estreito de Gibraltar. Poucos minutos depois estávamos no Atlântico.

Capítulo 8
A baía de Vigo

O Atlântico! Imensa extensão de água cuja superfície cobre sessenta e cinco milhões de quilômetros quadrados, com um comprimento de quatorze mil quilômetros e uma largura média de quatro mil e quatrocentos quilôme- tros. Mar importante, quase desconhecido na antiguidade, exceto talvez dos cartagineses, que nas suas viagens comerciais seguiam as costas oeste da Eu- ropa e da África. Oceano, cujas costas de sinuosidades paralelas abraçam um perímetro imenso, alimentado pelos maiores rios do mundo: São Lourenço, Mississippi, Amazonas, Prata, Orinoco, Níger, Senegal, Elba, Loire, Reno e mui- tos outros, que lhe trazem águas dos países mais civilizados e das regiões mais selvagens do globo. Magnífica planície líquida, incessantemente sulcada por navios de todas as nações, abrigados sob todas as bandeiras do mundo e que termina por essas duas pontas temidas de todos os navegadores: o Cabo Horn e o Cabo das Tormentas.

O Náutilus quebrava suas águas com o esporão, depois de ter percorrido quase cinquenta mil quilômetros em três meses e meio, distância superior a qualquer um dos grandes círculos da Terra. Para onde íamos e o que nos reservaria o futuro?

O submarino, passado o Estreito de Gibraltar, tinha-se feito ao largo. Voltou à superfície das águas e, consequentemente, voltaram os nossos passeios na plataforma.

Subi imediatamente, acompanhado por Conselho e Ned Land. A uma distância de quase doze quilômetros se avistava vagamente o Cabo de São Vicente, que forma a extremidade sudoeste da Península Ibérica. Soprava um vento forte do sul. O mar estava encapelado e fazia o Náutilus balançar violentamente. Era quase impossível ficar na plataforma, incessantemente varrida por enormes vagas. Por isso descemos depois de termos aspirado um pouco de ar puro.

Ned Land, bastante preocupado, seguiu-me para o meu quarto, enquanto Conselho foi diretamente para a sua cabina. A nossa rápida passagem pelo Mediterrâneo não tinha permitido ao canadense pôr em prática os seus planos de fuga e estava francamente desapontado. Ele me olhou em silêncio durante algum tempo, depois que fechei a porta e o fiz se sentar. Adivinhei que tinha alguma coisa muito importante para me dizer.

– Eu o compreendo, meu caro Ned – iniciei o diálogo com o intuito de deixá-lo mais a vontade – mas você não tem de que se censurar. Nas condições em que o Náutilus navegou, pensar em fugir seria uma loucura.

Ele me ouviu e continuou calado. Os seus lábios cerrados e as sobrancelhas franzidas eram sinal de uma violenta obsessão, de uma ideia fixa que o atormentava.

– Não vejo por que se desesperar – continuei a falar tentando vencer o sofrido mutismo dele. – Continuamos seguindo pela costa de Portugal e talvez a caminho da França e da Inglaterra. Se, passando o Estreito de Gibraltar, o Náutilus se tivesse ido para o sul, se estivesse nos levando para regiões onde não há continentes, então eu partilharia de sua inquietação. Mas já sabemos que o capitão Nemo não foge dos mares civilizados. Creio que dentro de alguns dias você encontre uma oportunidade segura para agir.

Ned Land olhou-me ainda mais fixamente, seus lábios se moveram e ele disse com determinação:

– É esta noite!

Levantei-me de repente. Confesso que não estava preparado para ouvir aquilo. Quis dizer qualquer coisa, mas não encontrei palavras para me expressar.

– Havíamos combinado esperar por uma boa ocasião – continuou ele. Pois bem, professor, essa ocasião chegou. Esta noite estaremos a alguns quilômetros da costa espanhola. A noite está escura e o vento sopra do largo. Deu-me a sua palavra e eu conto com o senhor.

Continuei calado. Ele se levantou e me disse quase ao ouvido:

– Esta noite, às nove horas. Conselho já está prevenido. A essa hora o capitão Nemo estará no seu quarto, dormindo, provavelmente. Da tripulação, os que não estiverem também dormindo, estarão ocupados. Eu e Conselho iremos até a escada central e o senhor ficará na biblioteca aguardando o nosso sinal. Os remos, o mastro e as velas estão dentro do bote. Até logo, professor.

– O mar me parece muito agitado – consegui falar.

– De fato está – disse ele – mas temos de nos arriscar. A liberdade tem o seu preço. O bote é sólido e alguns quilômetros com o vento ajudando, faz-se rapidamente. Se as circunstâncias nos favorecerem, entre as dez e as onze horas teremos desembarcado em terra firme. Se elas forem contra nós, estaremos mortos. Portanto demos graças a Deus e até logo à noite.

Ele saiu e eu fiquei atordoado. Eu tinha imaginado que quando surgisse aquela ocasião, disporia de tempo para refletir, para discutir e talvez até para adiá-la. De repente eu não tive nada para dizer ao canadense. Ele tinha toda a razão. Era uma ocasião e deveríamos aproveitá-la. Podia faltar à minha palavra e assumir a responsabilidade de comprometer o futuro dos meus companheiros no meu interesse pessoal?

Naquele momento soou um forte apito, sinal de que os reservatórios estavam cheios. O Náutilus mergulhou nas águas do Atlântico. Permaneci no meu quarto, porque queria evitar o capitão. Eu tinha medo de me deixar trair pela emoção que me dominava. Passei um dia penoso, entre o desejo de alcançar a liberdade e a mágoa de abandonar aquele maravilhoso Náutilus, deixando inacabados os meus estudos submarinos. Deixar assim aquele oceano, "o meu Atlântico", como gostava de chamá-lo, sem ter observado suas camadas mais profundas, sem lhe ter desvendado os mistérios, como tinha feito aos mares das Índias e no Pacífico! O meu romance caía-me das mãos no primeiro volume, o meu sonho ia ser interrompido no melhor momento. Passei assim algumas horas amargas, ora me vendo em terra, em segurança com os meus companheiros, ora desejando que alguma circunstância imprevista impedisse a realização dos projetos de Ned Land. Fui duas vezes ao salão para consultar a bússola para verificar a direção do Náutilus e assegurar-me de que estávamos realmente nos aproximando da costa. O submarino continuava em águas portuguesas, rumando para o norte, na direção desejada pelo canadense. Portanto, tínhamos de aproveitar a ocasião e tentarmos a fuga. A minha bagagem constava apenas dos meus apontamentos. Nada de coisas pesadas. Quanto ao capitão Nemo, perguntava-me sobre o que pensaria ele da nossa evasão. Que tipo de inquietações, que problemas poderíamos causar a ele e o que faria o enérgico capitão se a nossa tentativa fracassasse? Eu não tinha nenhuma razão para me queixar dele. Ao contrário, a sua hospitalidade não me deixava margem para censuras. Não tinha também nenhum motivo para me considerar ingrato com ele: nenhum juramento e nem mesmo uma palavra menos formal me prendia ao capitão quanto ao que íamos fazer.

Ele contava com a força das circunstâncias e não com a nossa palavra para nos manter junto dele. A sua confessada intenção de nos manter eternamente a bordo do seu navio justificava todas as nossas tentativas de fuga. Eu não o via desde a noite em que o cofre com o ouro fora mandado para alguma parte da Europa, ou seria da África ou até mesmo do Oriente Médio? Será que voltaria a vê-lo antes de minha partida? Desejava vê-lo e, ao mesmo tempo, receava a sua presença naquelas circunstâncias. Pus-me à escuta para ver se ouvia passos no quarto dele, contíguo ao meu. Nem um ruído. O quarto devia estar deserto. Então eu pensei se o capitão estaria realmente a bordo. Desde aquela noite em que o bote deixara o Náutilus para aquela misteriosa entrega do ouro, as minhas ideias em relação ao capitão haviam se modificado um pouco. Passei a supor que apesar do que dizia, o capitão Nemo continuava a manter algumas relações com a terra. Ele nunca deixaria o Náutilus? Por vezes passava-se uma semana inteira sem que eu o visse. Que estaria fazendo ele durante esses dias? E quando eu poderia julgá-lo praticando algum ato de misantropia, não estaria antes envolvido em alguma ação secreta cuja natureza me escapava?

Todas essas considerações assaltavam a minha mente. O campo de conjeturas era infinito na situação em que me encontrava. Sentia um mal-estar insuportável. Aquele dia de espera me parecia infindável. As horas se passavam demasiado lentamente para o meu estado de impaciência.

Como sempre o jantar me foi servido no quarto. Quase não comi, enfastiado de preocupações. Saí da mesa às sete horas. Ainda faltavam cento e vinte minutos para o momento em que deveria me juntar a Ned Land e Conselho. A minha agitação aumentava e o meu pulso estava alterado. Não conseguia ficar quieto. Andava de um lado para o outro na esperança de acalmar a agitação do espírito com o movimento físico. A ideia de sucumbir na nossa temerária empresa era a menor de minhas preocupações. Mas ao pensar que o nosso projeto poderia ser descoberto antes de deixarmos o Náutilus, ao pensar de ser levado perante o capitão Nemo, furioso ou, ainda pior, entristecido com o meu procedimento, palpitava-me o coração.

Quis rever o salão pela última vez. Segui pelos corredores e cheguei ao museu, onde tinha passado tantas horas agradáveis e úteis. Olhei todas aquelas riquezas, todos aqueles tesouros, como um homem na véspera de um exílio eterno, que parte para nunca mais voltar. Aquelas maravilhas da natureza, aquelas obras-primas da arte, no meio das quais passara tantos dias, ia abandoná-las para sempre. Desejei observar as águas do Atlântico através dos vidros do salão, mas os painéis estavam fechados e uma chapa de zinco separava-me daquele oceano que eu tanto desejava conhecer melhor.

Ao percorrer o salão, cheguei à porta, existente num dos lados, que dava para o quarto do capitão. Para minha surpresa a porta estava entreaberta. Recuei involuntariamente. Se estivesse lá dentro, ele poderia me ver. Escutei e não ouvi nenhum ruído. Aproximei-me de novo e olhei. O quarto estava deserto. Empurrei a porta e entrei.

Comecei reparando em alguns quadros a óleo pendurados na parede. Não me lembrava de tê-los visto em minha primeira visita ao quarto dele. Eram retratos de grandes vultos da história, cujas existências tinham decorrido numa perpétua devoção a uma grande ideia humana Kosciusko, o herói caído ao grito de Finis Poloniase; Botzaris, o Leônidas da Grécia moderna; O'Connell, defensor da Irlanda; Washington, fundador da União Americana; Manin, o patriota italiano; Lincoln, caído pela bala de um escravocrata; e finalmente o mártir da libertação da raça negra, John Brown, suspenso da forca, desenhado pelo terrível traço de Victor Hugo.

Que elo existiria entre aquelas almas heroicas e a alma do capitão Nemo? Poderia eu, a partir daqueles retratos, desvendar o mistério da existência dele? Seria ele um campeão de povos oprimidos, um libertador das raças escravas? Teria participado das últimas agitações políticas ou sociais do século? Teria sido um dos heróis da terrível guerra americana, guerra lamentável e para sempre gloriosa?

De súbito o relógio bateu oito horas. A primeira pancada do pêndulo arrancou-me dos sonhos. Estremeci, como se olhos invisíveis pudessem mergulhar no mais profundo dos meus pensamentos e me precipitei para fora do quarto.

Faltando poucos minutos para as nove horas, deixei o meu quarto e voltei para o salão. Mergulhado na semiobscuridade, estava deserto. Abri a porta que comunicava com a biblioteca. A mesma claridade insuficiente e a mesma solidão. Fui para perto da porta que dava para a escada central e fiquei aguardando o sinal do canadense. Naquele momento os ruídos da hélice diminuíram sensivelmente e depois cessaram por completo. Qual seria o motivo daquela repentina alteração no andamento do Náutilus? O barco ter parado iria favorecer ou prejudicar o plano de Ned Land? O silêncio só era quebrado pelas batidas do meu coração.

De repente senti um leve choque. O Náutilus havia pousado no fundo do oceano. A minha inquietação redobrou. O sinal do canadense não chegava. Comecei a ter vontade de ir procurar Ned e dissuadi-lo de qualquer tentativa de fuga naquela noite. A nossa navegação não se efetuava em condições normais.

Naquele momento a porta do salão foi aberta e o capitão Nemo entrou. Viu-me e disse sem qualquer preâmbulo

– Ah! É o senhor, professor. Eu andava à sua procura. Sabe alguma coisa da história da Espanha?

Nas condições em que me encontrava, ainda que ele me perguntasse sobre a história do meu próprio país, eu não seria capaz de dizer uma palavra.

– Não ouviu a minha pergunta, professor? Conhece a história da Espanha?

– Muito mal – respondi.

– Então é um sábio e não sabe. Pois bem, sente-se que vou lhe contar um episódio bastante curioso dessa história.

O capitão estendeu-se no divã enquanto eu, mecanicamente, me sentei junto dele, na penumbra.

– Recuaremos ao ano de 1702 – começou ele, falando com voz pausada. – Não ignora que nessa época o rei Luís XIV julgando que com um simples gesto poderia derrubar os Pirineus, tinha imposto o duque de Anjou, seu neto, aos espanhóis. Este príncipe, que reinou mais ou menos mal sob o nome de Felipe V, teve problemas com outros países. As casas reais da Holanda, da Áustria e da Inglaterra fizeram uma aliança com o objetivo de arrancarem a coroa da Espanha da cabeça de Felipe V, a fim de dá-la a um arquiduque, ao qual chamaram prematuramente de Carlos III.

– Embora lhe faltassem soldados e marinheiros, a Espanha teve que resistir a essa coligação. No entanto, não lhe faltaria dinheiro se os seus galeões carregados de ouro e prata, vindos da América, entrassem em seus portos. Ora, no final de 1702, era esperado um fabuloso comboio escoltado por uma frota de vinte e três navios franceses, comandados pelo almirante Château-Renault, porque as marinhas dos dois países em coligação percorriam então o Atlântico.

– Este comboio devia dirigir-se a Cádis. Mas o almirante, informado de que a frota inglesa cruzava aquelas águas, resolveu rumar para um porto francês. Os comandantes espanhóis dos navios carregados com o ouro protestaram contra essa decisão e exigiram ser conduzidos para um porto espanhol. Não podendo ser o de Cádis, resolveram seguir para a baía de Vigo, situada na costa noroeste da Espanha e que não estava bloqueada pela esquadra inglesa. O almirante Château-Renault teve a fraqueza de aceitar essa imposição e os galeões rumaram para Vigo.

– Essa baía forma um ancoradouro aberto, difícil de ser defendido. Portanto, era necessário descarregar rapidamente os galeões antes da chegada da frota inimiga. O tempo teria sido suficiente para esse desembarque se não tivesse surgido uma rivalidade.

– Está seguindo o desenrolar dos fatos, professor? – perguntou-me o capitão Nemo.

– Perfeitamente, capitão – respondi, não conseguindo adivinhar com que propósito estava ele me contando aquela história.

– Então eu continuo. Eis o que se passou: os comerciantes de Cádis tinham um privilégio segundo o qual deviam receber todas as mercadorias vindas das Índias Ocidentais. Ora, desembarcar os lingotes de ouro dos galeões, no porto de Vigo, era ir contra esse direito. Queixaram-se, portanto, e obtiveram do fraco Felipe V que o comboio, sem proceder à descarga, permanecesse sequestrado no ancoradouro de Vigo até o momento em que as frotas inimigas se afastassem.

– Enquanto se tomava essa decisão, no dia 22 de outubro de 1702, os navios ingleses chegaram à Baía de Vigo. O almirante Château-Renault, apesar da inferioridade de suas forças, bateu-se corajosamente. Mas quando viu que as riquezas dos galeões iam cair nas mãos dos inimigos, incendiou e afundou os seus navios com todo o tesouro.

O capitão Nemo fez uma pausa. Eu ainda não havia percebido qual o interesse que a história dele poderia ter para mim. Mas eu não poderia mostrar-me descortês com ele. Por isso perguntei:

– E depois, capitão?

– Depois, Sr. Aronnax, estamos na baía de Vigo e compete-lhe desvendar-lhe os mistérios.

Levantou-se e me pediu que o seguisse. Eu tivera tempo de me controlar e podia acompanhá-lo. O salão estava na penumbra, mas através dos vidros transparentes brilhavam as águas do mar. Olhei. A volta do Náutilus, num raio de oitocentos metros, as águas apareciam impregnadas de luz elétrica. O fundo arenoso era nítido e claro. Alguns tripulantes, envergando escafandros, ocupavam-se em desentulhar tonéis meio apodrecidos, caixas estragadas, no meio de destroços ainda enegrecidos. Das caixas e dos tonéis escapavam-se lingotes de ouro e prata, cascatas de moedas e de joias. A areia estava juncada dessas preciosidades. Carregados com esse rico espólio, os homens voltavam ao Náutilus onde deixavam o seu rico fardo e retornavam à sua pesca de ouro e prata.

Então eu compreendi o episódio que o capitão me contara. Era ali o teatro da batalha de 22 de julho de 1702. Ali mesmo se tinham afundado os galeões carregados com o ouro para o governo espanhol. E era também ali que o capitão Nemo ia buscar os milhões de que necessitava para os seus misteriosos empreendimentos. Havia sido para ele, e só para ele que a América entregara os seus preciosos metais. Ele o herdeiro direto e único dos tesouros arrancados aos Incas e de todos os povos derrotados por Fernando Cortez

– Sabia que o mar continha tantas riquezas, professor? – perguntou-me ele, sorrindo.

– Sabia – respondi-lhe – que se calcula em dois milhões o dinheiro mantido em suspensão nessas águas.

– Não duvido. Mas para extrair esse dinheiro as despesas seriam superiores aos resultados obtidos. Aqui só tenho de apanhar o que os homens perderam em suas aventuras. Além desse, sei de mil outros teatros de naufrágios, cujos locais estão todos assinalados em meus mapas. Compreende agora por que sou tão rico?

– Compreendo, capitão. Permita-me, no entanto, dizer-lhe que ao explorar precisamente a baía de Vigo, adiantou-se aos trabalhos de uma companhia legalmente constituída para esse fim.

– Que companhia?

– Uma sociedade que recebeu do governo espanhol o privilégio de procurar os galeões desaparecidos. Os acionistas esperam alcançar um enorme lucro, porque se calcula em quinhentos milhões o valor das riquezas perdidas aqui.

– Quinhentos milhões! – exclamou o capitão. – Poderiam estar aqui, professor, mas já não estão mais.

– Estou vendo que não. Portanto, avisar esses acionistas seria um ato de caridade. O que os jogadores lamentam, acima de tudo, não é tanto a perda de dinheiro, mas a morte de suas loucas esperanças. No entanto, lamento-os menos do que a milhares de infelizes aos quais tantas riquezas poderiam ser de grande valia, enquanto agora serão estéreis para sempre.

Foi fácil perceber que eu tinha ferido o capitão Nemo.

– Estéreis! Então o senhor julga que essas riquezas estão perdidas porque fui eu que as apanhei? Pensa que é para mim que me dou ao trabalho de recolher esses tesouros? Quem lhe disse que não faço bom uso deles? Julga que ignoro que existem seres que sofrem, raças oprimidas, miseráveis déspotas que é preciso abater e vítimas a vingar? Ele parou e eu tive a impressão de que se arrependera de ter falado tanto. Mas eu adivinhara. Quaisquer que fossem os motivos que o tinham forçado a procurar a independência sob os mares, antes de tudo ele continuava a ser um homem. O coração palpitava-lhe ainda pelo sofrimento humano e a sua imensa caridade dirigia-se para os indivíduos e para as raças oprimidas.

Descobri então a quem foram destinados os milhões expedidos por ele quando o Náutilus navegava nas águas de Creta revoltada.

Capítulo 9

O continente desaparecido

No dia seguinte, 19 de fevereiro, vi o canadense entrar no meu quarto. Eu já esperava a sua visita. Falei primeiro:

– Ontem tivemos azar, amigo.

– Incrível, professor! O danado do capitão tinha de parar justamente quando íamos fugir.

Contei a ele os incidentes da véspera e o recolhimento de mais uma parte das riquezas dos galeões espanhóis.

– Foi apenas uma arpoada falha, professor– disse-me ele. – Na próxima vez teremos mais sorte. Tentaremos esta noite mesmo...

– Qual é a direção do Náutilus? – perguntei.

– Não sei.

– Ao meio-dia verei isso no mapa – prometi a ele.

O canadense voltou para a sua cabina. Depois de me vestir fui ao salão. Verifiquei que a rota do Náutilus era sul-sudoeste. Voltávamos as costas à Europa. Esperei com impaciência que a nossa posição fosse assinalada na carta. As onze e meia os reservatórios foram esvaziados e o navio subiu para a superfície. Quando cheguei à plataforma, Ned Land já estava lá.

Não havia terra à vista. Nada mais do que o mar imenso. Avistavam-se algumas velas no horizonte, certamente dos navios que iam até o Cabo de São Roque procurar ventos favoráveis para dobrar o Cabo da Boa Esperança.

O tempo estava encoberto e começava a soprar o vento. Irado, o canadense observava o horizonte. Esperava ainda que por trás do nevoeiro se estendesse a tão desejada terra. Ao meio-dia o sol mostrou-se por um instante. O imediato aproveitou a ocasião para lhe medir a altura. O mar se tornou mais agitado, fomos obrigados a descer, e os alçapões foram fechados.

Uma hora depois, quando consultei a carta, vi que a posição do Náutilus era de 16° 17' de longitude e 33° 22' de latitude, a oitocentos quilômetros da costa mais próxima. Não havia qualquer possibilidade de fuga. O canadense ficou furioso quando o informei da nossa situação.

Sentia-me aliviado do peso que me oprimia e pude retomar com certa calma os meus trabalhos habituais. À noite, mais ou menos às onze horas, recebi a visita do capitão Nemo. Ele me perguntou se me sentia fatigado e eu lhe informei que não.

– Então vou lhe propor uma curiosa excursão, professor.

– Faça o favor, capitão.

– Até agora só visitou os fundos marinhos com a luz do sol. Gostaria de ver como são à noite?

– Certamente, senhor.

– Devo preveni-lo de que o passeio será fatigante. Terá de andar muito tempo e de escalar uma montanha para ver o que desejo lhe mostrar.

– Estou curioso, capitão.

– Então venha. Vamos vestir os escafandros.

Em poucos minutos estávamos vestidos. Colocaram-nos às costas os reservatórios de ar abundantemente carregados, mas não me deram a lâmpada e eu falei dessa falha ao capitão.

– De nada nos serviriam – respondeu-me.

Julguei ter ouvido mal, mas não pude repetir a minha observação porque a cabeça dele já tinha desaparecido dentro do seu capacete metálico. Acabei de me arranjar e, como apetrecho que eu não havia usado ainda, deram-me um pau ferrado. Após as manobras habituais pisamos o fundo do Atlântico, a uma profundidade de trezentos metros. Aproximava-se da meia-noite. As águas estavam profundamente escuras, mas o capitão apontou-me à distância para um ponto vermelho, uma espécie de claridade que brilhava a cerca de três quilômetros do barco. Começamos a andar na direção dela. Caminhávamos bem próximos um do outro. O terreno plano começou a subir ligeiramente. Dávamos largas passadas, mas a nossa marcha era lenta. Os nossos pés se enterravam numa espécie de lodo com algas, semeado de pedras lisas. Ao avançar, eu ouvia uma espécie de crepitação por cima de minha cabeça. Por vezes o ruído aumentava e produzia como que um fulgor contínuo. Era a chuva que caía violentamente na superfície das águas. Instintivamente, pensei que ia me molhar. Não pude deixar de sorrir com tal ideia. Para dizer a verdade, dentro do pesado escafandro não se sente o elemento líquido e pensa-se estar no meio de uma atmosfera um pouco mais densa do que a atmosfera terrestre.

Após meia hora de marcha o solo tornou-se pedregoso, mas nosso caminho tornava-se cada vez mais iluminado. A luz esbranquiçada brilhava no cimo de uma montanha com cerca de duzentos e cinquenta metros de altura. Mas o que eu via não passava de uma simples reverberação desenvolvida pelo cristal das camadas de água. A origem daquela inexplicável claridade encontrava-se no lado oposto da montanha. O capitão Nemo avançava sem hesitação no meio dos pedregulhos que sulcavam o fundo do Atlântico. Não havia dúvida de que conhecia o caminho e de que já o havia percorrido algumas vezes. Eu o seguia confiantemente. Aparecia-me como um dos gênios do mar. Andando atrás dele, eu admirava a sua elevada estatura que se destacava no fundo luminoso. Era uma hora da manhã. Tínhamos chegado às primeiras vertentes da montanha. Para transpô-la era preciso nos aventurarmos pelos difíceis atalhos de uma enorme floresta.

O capitão, familiarizado com aqueles caminhos, andava sem qualquer problema. Tínhamos chegado a uma primeira plataforma da montanha, onde me esperavam algumas surpresas. Ali desenhavam-se pitorescas ruínas que traíam a mão humana e não a do Criador. Eram vastas extensões de pedras onde se distinguiam vagas formas de castelos, de templos, revestidos por um mundo de zoófitos em flor.

Que região submersa do globo seria aquela? Quem tinha disposto aquelas rochas e pedras como dólmens dos tempos pré-históricos?

Onde eu estava? Aonde a fantasia do capitão Nemo havia me levado?

Queria interrogá-lo, mas como não podia fazê-lo, segurei-lhe o braço. Ele abanou a cabeça e apontou para o cume da montanha. Pareceu-me ouvi-lo dizer: "Venha! Continue! Não pare!" Eu o segui num último esforço. Mais alguns minutos de penosa subida e alcancei o pico que dominava toda aquela massa rochosa.

O meu olhar vagueou ao redor e vi um enorme espaço iluminado por uma fulguração violenta. Aquela montanha era um vulcão. A quinze metros abaixo do pico, no meio de uma chuva de pedras e de escórias, uma grande cratera vomitava torrentes de lava, que se dispersavam em cascatas de fogo no seio da massa líquida. Assim situado, aquele vulcão era como um imenso facho iluminando a planície inferior até os limites do horizonte.

A cratera submarina lançava lavas e não chamas, porque estas necessitariam de oxigênio e por isso não podiam existir debaixo das águas.

Mas as torrentes de lavas que têm em si próprias o princípio de sua incandescência, podem atingir o vermelho-branco, lutar vitoriosamente contra o, elemento líquido e vaporizar-se ao seu contato. Rápidas correntes arrastavam todos aqueles gases em fusão e as torrentes de lavas deslizavam até o sopé da montanha, como as dejeções do Vesúvio sobre a torre del Grecco.

Diante dos meus olhos, arruinada, destruída, demolida, aparecia uma cidade com os telhados roídos, os templos desmoronados, os arcos deslocados, as colunas caídas por terra, onde se percebiam ainda alguns traços de arquitetura toscana. Mais ao longe os restos de um gigantesco aqueduto e mais além a saliência de uma acrópole com as formas flutuantes de um Partenon. Mais adiante vestígios de um cais, como se algum antigo porto tivesse outrora abrigado navios mercantes e trirremes de guerra. Ainda mais longe, longas linhas de muralhas arruinadas, largas ruas desertas, uma Pompeia submersa que o capitão Nemo ressuscitava a minha vista.

Onde estaríamos? Emocionado, esbarrei no capitão. Por gestos exigi que ele me desse uma explicação. Pegando em um pedaço de rocha calcária ele se dirigiu para um granito de basalto preto e traçou uma palavra: "Atlântida".

Um clarão atravessou-me o espírito! A Atlântida de Platão, esse continente negado por Orígenes, Porfirio, Jâmblico, D'Anville, Malte-Brun e Humboldt, que consideravam o seu desaparecimento uma lenda. Aceito por Possidônio, Plínio, Ammien-Marcellin, Tertuliano, Engel, Sherer, Tournefort, Buffon, D'Avezac, estava diante dos meus olhos, mostrando ainda os irrecusáveis testemunhos da sua catástrofe. Era, portanto, aquela região submersa que existia fora da Europa, da Ásia, da Líbia e para além das colunas de Hércules, onde vivia o poderoso povo dos Talantes contra o qual se fizeram as primeiras guerras da antiga Grécia.

O historiador que consignou nos seus escritos os altos feitos desses tempos heroicos foi o próprio Platão, no seu diálogo Timeu-Crítias, traçado por assim dizer sob a inspiração de Sólon o poeta e legislador.

Tais eram as lembranças históricas que a inscrição do capitão Nemo fez surgir no meu espírito. Portanto, conduzido pelo mais estranho destino, eu pisava em uma das montanhas daquele continente! Tocava aquelas ruínas mil ve- zes seculares! Caminhava por onde tinham caminhado os contemporâneos do primeiro homem. Esmagava com os meus pesados sapatos os esqueletos de animais dos tempos fabulosos, que aquelas árvores, agora mineralizadas, outrora cobriram com a sua sombra.

O capitão Nemo, apoiado numa coluna coberta de musgo, permanecia imóvel e como que petrificado num êxtase mudo. Pensaria ele naquelas gera- ções desaparecidas, tentando descobrir o segredo do destino humano? Seria ali que aquele estranho homem ia retemperar-se nas recordações da história e reviver a vida antiga, ele que nada queria com a vida moderna? Eu daria tudo que tivesse para conhecer, partilhar e compreender os pensamentos dele.

Quando voltamos ao interior do Náutilus já as primeiras claridades da au- rora branqueavam a superfície do oceano.

Capítulo 10
Minas de carvão submarinas

No dia seguinte, 20 de fevereiro, acordei muito tarde. As fadigas da noite haviam prolongado o meu sono até às onze horas. Vesti-me rapidamente porque tinha pressa em saber qual o rumo do Náutilus. Os instrumentos do salão indicaram-me que ele continuava a navegar para o sul, com uma velocidade de trinta quilômetros por hora e a uma profundidade de cem metros.

Esse dia transcorreu sem novidades. Mas, estive mentalmente muito ocupado recordando todos os meus conhecimentos sobre a história da Atlântida. O passeio da noite anterior me deixara realmente impressionado. Não teria sido um sonho?

No dia seguinte, 21 de fevereiro, eram oito horas da manhã quando cheguei ao salão. Olhei o manômetro. O Náutilus flutuava à superfície do oceano. Dirigi-me para o alçapão que estava aberto. Mas em vez da luz do dia que esperava, vi-me rodeado de uma escuridão profunda.

Onde estaríamos? Ainda seria noite e eu teria me enganado? Não sabia o que pensar, quando ouvi a voz do capitão Nemo.

– Professor Aronnax?
– Sim. Onde estamos, capitão?
– Debaixo da terra, professor.
– Debaixo da terra? Mas o Náutilus está flutuando?
– Como sempre, professor.
– Não compreendo!
– Espere uns instantes. O nosso farol vai acender-se e, se gosta de situações claras, vai ficar satisfeito.

A escuridão era tão completa que nem sequer eu via o capitão. No entanto, olhando o zênite, exatamente por cima de minha cabeça, pareceu-me ver uma luz vaga, uma espécie de meia-luz que enchia um buraco circular. Naquele momento acendeu-se o farol do Náutilus e o seu brilho intenso fez desvanecer num instante aquela vaga luz. Olhei, depois de ter fechado os olhos por um instante, ofuscados pela luz elétrica. O submarino estava imóvel. Flutuava junto de uma margem disposta como um cais. O meio que então o suportava era um lago aprisionado dentro de um círculo de muralhas que media três mil metros de diâmetro. O seu nível, indicado pelo manômetro, só podia ser o nível exterior, porque existia necessariamente uma comunicação entre o lago e o mar. As altas muralhas, inclinadas para a base, arredondavam-se em abóbada e pareciam um enorme funil invertido, cuja altura era de uns quinhentos a seiscentos metros. No cume abria-se um orifício circular por onde eu tinha notado aquela fraca claridade; sem dúvida devida aos raios solares.

Antes de examinar atentamente as disposições interiores daquela enorme caverna e de procurar saber se seria obra da natureza ou do homem, perguntei ao capitão:

– Onde estamos?

– No centro de um vulcão extinto. Um vulcão cujo interior foi invadido pelo mar, depois de uma convulsão do solo. Enquanto o senhor estava dormindo, o Náutilus penetrou nesta lagoa através de um canal natural, aberto a dez metros abaixo da superfície do oceano. É aqui o seu porto de abrigo. Um porto seguro, cômodo, secreto, abrigado de todos os ventos.

– Não resta dúvida que está em segurança aqui, capitão. Quem se lembrará de procurá-lo no centro de um vulcão. Quem poderia fazê-lo? Mas não é uma abertura o que vejo no cimo da caverna?

– Sim, é uma cratera. Outrora cheia de lava, de vapores e de chamas, hoje ela dá passagem ao ar vivificante que respiramos aqui.

– Que montanha vulcânica é esta?

– Pertence a uma das numerosas ilhas que povoam este mar. Simples escolho para os navios, é para nós uma imensa caverna. Eu a descobri por acaso e foi uma descoberta muito útil.

– Está em segurança neste lago e só o senhor pode visitar estas águas.

– Mas para que serve este refúgio? O Náutilus precisa de um porto?

– Não, professor, mas precisa de eletricidade para se mover. Precisa de elementos para produzir essa eletricidade. De sódio, para alimentar esses elementos, de carvão para fazer o sódio e de minas que produzam esse carvão. Ora, precisamente aqui, o mar cobre florestas inteiras há milhares de anos. Hoje mineralizadas e transformadas em hulha, essas florestas são uma mina inesgotável para mim.

Agradeci ao capitão as suas informações e fui procurar os meus companheiros que ainda não tinham saído de sua cabina. Convidei-os para que me acompanhassem à plataforma, sem lhes dizer onde nos encontrávamos. Conselho, que não se surpreendia com coisa alguma deste mundo, olhou-me como se fosse uma coisa natural acordar debaixo de uma montanha. Ned Land fez algumas perguntas, mas na verdade só se preocupou em saber se a caverna tinha alguma saída. Não tinha.

Depois do almoço descemos na margem do lago.

– Aqui estamos, mais uma vez em terra – disse Conselho.

– Não chamo a isto terra – falou o canadense. – Aliás, não estamos por cima, mas por baixo.

– Estamos dentro da montanha – manifestei-me, prevenindo uma possível discussão entre os dois.

A natureza vulcânica daquela enorme cavidade era visível por toda parte. Chamei a atenção de meus companheiros para isso.

– Imaginam o que deveria ser este funil quando as lavas incandescentes subiam até o orifício da montanha, como a matéria em fusão dentro de um forno?

– Imagino perfeitamente – respondeu Conselho. – Mas por que será que o grande fundador suspendeu o seu trabalho e como foi que a fornalha se encheu de água?

– Provavelmente porque alguma convulsão da natureza produziu sob a superfície do oceano a abertura que serviu de passagem ao Náutilus. Então as águas do

Atlântico invadiram o interior da montanha. Houve uma luta terrível entre os dois elementos, que terminou com a vitória de Netuno. Desde então passaram-se muitos séculos e o vulcão submerso transformou-se numa pacífica gruta.

Passamos a tarde inteira passeando pela gruta e Ned Land verificou pessoalmente que nenhum ser humano poderia subir ou descer pela cratera do vulcão. Depois regressamos a bordo. A tripulação acabava de embarcar as provisões de sódio e o Náutilus estava pronto para partir a qualquer momento.

No entanto o capitão Nemo não dava a ordem nesse sentido. Queria esperar pela noite e sair secretamente pela passagem submarina? Deveria ser justamente isso, porque na manhã seguinte o submarino navegava ao largo e a alguns metros abaixo das ondas do Atlântico.

Capítulo 11
O mar de sargaços

Náutilus não mudou sua rota. Tivemos de esquecer toda a esperança de voltarmos aos mares europeus. O capitão Nemo rumava para o sul. Para onde estaria ele nos conduzindo? Eu não ousava imaginar.

O submarino atravessou naquele dia uma estranha parte do Oceano Atlân- tico. Ninguém ignora a existência de uma grande corrente de água quente, denominada Gulf Stream ou corrente do Golfo. Depois de sair dos canais da Flórida, ela se dirige para Spitzberg. Porém, antes de penetrar no golfo do Mé- xico a corrente se divide em dois braços. O principal deles se dirige para as costas da Irlanda e da Noruega, enquanto o outro segue para o sul em direção aos Açores. Depois de banhar as costas africanas ele forma uma oval alongada e volta em direção as Antilhas.

Ora, esse segundo braço, que mais se parece com um colar, cerca com os seus anéis de água quente aquela parte do oceano, fria, tranquila e imóvel, a que se chama de mar dos Sargaços. Verdadeiro lago em pleno Atlântico, as águas da grande corrente demoram três anos para rodeá-lo.

O mar dos Sargaços cobre toda a parte submersa Atlântico. O nome Sargaço vem da palavra espanhola "sargazzo", que significa *kelp*. Esta alga marinha, ou planta baga, é a principal formação deste imenso banco Há quem creia que essa vegetação veio das pradarias deste antigo continente. No entanto é mais provável que essas algas sejam levadas à região pela corrente do Golfo, que as tira das costas da América e da Europa. Foi essa uma das razões que levou Colombo a acreditar na existência de um novo mundo.

Quando os marinheiros desse intrépido navegador chegaram ao Mar dos Sarga- ços, navegaram com muita dificuldade no meio daquelas algas e precisa- ram de três longas semanas para atravessá-lo.

Era essa a zona que o Náutilus percorrera naquele dia. Um verdadeiro prado, um tapete de algas, tão espesso e compacto que a hélice girava com dificuldade.

Todo o dia 22 de fevereiro foi passado no Mar dos Sargaços. No dia seguinte o mar havia retomado o seu aspecto habitual. Nos dias que se seguiram, navegando sempre pelo meio do Atlântico, o Náutilus avançava, a uma velocidade constante, uns quinhentos quilômetros a cada vinte e quatro horas. Era evidente que o capitão Nemo queria cumprir o seu programa de viagem. Eu não duvidava que, dobrado o Cabo Horn, ele voltasse aos mares austrais do Pacífico.

Ned Land tinha razão de recear. Nesses mares imensos, sem ilhas, não era possível tentar uma fuga. Por outro lado, não tínhamos meios de nos opormos aos desígnios do capitão. A única coisa a fazer era obedecer. Mas aquilo que não se podia alcançar pela força também não se devia tentar obter por persuasão. Terminada aquela viagem, talvez o capitão consentisse em nos dar a liberdade sob juramento de nunca revelarmos a sua existência. Juramento de honra que faríamos. Eu tinha de conversar sobre isso com ele. Desde o início, o capitão Nemo havia declarado, de uma maneira formal, que o segredo da sua vida exigia a nossa prisão perpétua a bordo do Náutilus. Éramos seus prisioneiros há quatro meses e o meu silêncio sobre esse assunto não deixava de ser uma concordância tácita. Eu imaginava que uma discussão do problema o deixaria em permanente estado de alerta contra nós. Isso poderia prejudicar o aproveitamento, com sucesso, de alguma oportunidade de fuga que tivéssemos. Embora eu não fosse pessimista compreendia que as possibilidades de voltarmos ao convívio de nossos conhecidos e parentes diminuíam dia a dia, à medida que o capitão Nemo corria como um temerário o Atlântico Sul.

De 23 de fevereiro a 12 de março não houve qualquer incidente digno de nota e eu raras vezes vi o capitão. Às vezes, ouvia ressoar os sons melancólicos do seu órgão que tocava com muito sentimento, sempre à noite, no meio da maior obscuridade, quando o Náutilus adormecia nos desertos do oceano.

Navegamos dias inteiros à superfície. O mar parecia abandonado. Apenas alguns barcos a vela, com carga para a Índia, se dirigiam para o Cabo da Boa Esperança. Um dia fomos perseguidos pelas lanchas de um baleeiro, que sem dúvida nos tomara por uma enorme baleia de alto valor. O capitão Nemo não quis que os pescadores perdessem tempo e trabalho e pôs um ponto final na caçada, mergulhando nas águas.

Nessa região encontramos grandes cães-do-mar, que são peixes extremamente vorazes. Não se deve acreditar nas histórias dos pescadores, mas aqui vai o que contam. Encontraram no corpo de um desses animais uma cabeça de búfalo e uma vitela inteira. Em um outro deles foram achados dois atuns e um marinheiro fardado. Num terceiro, um soldado com o sabre e, finalmente, num quarto, um cavalo com o seu cavaleiro. São histórias que eu ouvi contar e passo à frente sem qualquer responsabilidade quanto à sua veracidade.

Até o dia 13 de março a nossa navegação continuou nessas condições. Nesse dia o Náutilus fez algumas experiências de sondagem que me interessaram muito.

Tínhamos percorrido até essa data cerca de sessenta e três mil quilômetros, desde a nossa partida dos mares do Pacífico. O ponto nos indicava 45° 37' de latitude sul e 37° 53' de longitude oeste. Estávamos na zona onde o capitão Denham do Herald lançara quatorze mil metros de sonda para encontrar o fundo. Também ali, o tenente Parker da fragata americana Congress não tinha atingido o fundo submarino a quinze mil cento e quarenta metros.

O capitão Nemo desceu com o Náutilus para as maiores profundidades para verificar essas diferentes sondagens. Preparei-me para registrar todos os dados da experiência. Os painéis do salão foram abertos e começaram as manobras para atingir as camadas mais profundas.

O capitão e eu ficamos no salão seguindo a agulha do manômetro que rodava com rapidez. Não tardamos em ultrapassar a zona habitável, onde vive a maioria dos peixes. Perguntei ao capitão Nemo se tinha observado peixes a maiores profundidades.

– Peixes? Raramente. No estado atual dessa ciência especializada, o que se sabe sobre o assunto? – perguntou ele.

– Sabe-se que à medida que se desce para as camadas inferiores do oceano, a vida vegetal desaparece mais depressa do que a animal. Onde ainda se encontram seres animados em grandes profundidades, a vegetação aquática não existe mais. Sabe-se que as camalhas e as ostras vivem a mais de dois mil metros da superfície das águas e que Mac Clintock, o herói dos mares polares, retirou uma estrela viva, de uma profundidade de dois mil e quinhentos metros. Sabe-se ainda que a tripulação do Bulldog, da Marinha Real Inglesa, pescou uma estrela-do-mar a mais de cinco quilômetros de profundidade. Mas talvez o senhor me diga que afinal de contas não se sabe nada.

– Não, professor, eu não seria tão indelicado. De qualquer forma, como o senhor explica que possa haver vida a tais profundidades?

– Explico-o por duas razões. Primeiro porque as correntes verticais determinadas pelas diferenças de salinidade e densidade das águas produzem um movimento que é suficiente para manter a vida rudimentar das estrelas-do-mar.

– Precisamente – concordou ele.

– Depois, porque se o oxigênio é a base da vida, sabe-se que a quantidade de oxigênio dissolvido na água do mar aumenta com a profundidade, em vez de diminuir, e que a pressão das camadas baixas contribui para o comprimir.

– Parabéns, professor. Sabe-se muito, porque tudo o que disse é verdade. Acrescentarei que a bexiga natatória desses peixes contém mais azoto do que oxigênio, quando são pescados à superfície das águas e mais oxigênio do que azoto, quando são tirados das grandes profundidades. Isso confirma a sua teoria. Mas continuemos as nossas observações.

Olhei para o manômetro que já indica uma profundidade de seis mil metros. Havia uma hora que estávamos descendo. As águas desertas eram admiravelmente transparentes e de uma diafaneidade difícil de descrever. Uma hora mais tarde estávamos a treze mil metros e ainda não se avistava o fundo do oceano.

No entanto, a quatorze mil metros distingui picos escuros que surgiam no meio das águas. Mas esses cumes poderiam pertencer a montanhas com a altura do Himalaia ou do Monte Branco, ou ainda mais altas, continuando incalculável a profundidade do fundo.

O Náutilus continuou a descer, apesar das altas pressões que sofria. Sentia-se que o metal tremia nas juntas, as barras se arqueavam, os tabiques gemiam, os vidros do salão pareciam estalar sob a pressão das águas. E este sólido aparelho teria certamente cedido, se não fosse tão resistente como uma rocha.

Tínhamos atingido uma profundidade de dezesseis mil metros e o casco do Náutilus suportava uma pressão de mil e seiscentas atmosferas, isto é, mil e seiscentos quilos por cada centímetro quadrado de sua superfície.

– Extraordinário, capitão! – manifestei-me realmente emocionado. Percorrer essas regiões profundas onde o homem nunca chegou! Veja, capitão, veja essas magníficas rochas, essas grutas desabitadas, esses últimos receptáculos do globo, onde a vida já não é possível! Que sítios desconhecidos! Pena que não possamos conservar alguma recordação desses lugares.

– Gostaria de levar algo mais do que uma recordação, professor?

– O senhor...

– Não se assuste. Estou querendo lhe dizer que nada há mais fácil do que tirar uma fotografia dessa região.

Uma máquina fotográfica foi trazida para o salão. Através dos painéis abertos, com a iluminação elétrica, a claridade era perfeita. A máquina focalizou o fundo do oceano e o fotografou.

O capitão Nemo, acabada essa operação, disse-me:

– Subamos, professor. Não devemos expor o Náutilus a semelhantes pressões por muito tempo seguido.

Capítulo 12

Cachalotes e baleias

Na noite de 13 para 14 de março, o Náutilus retomou a sua rota para o sul. Eu supunha que perto do Cabo Horn ele rumaria para oeste, a fim de chegar aos mares do Pacífico e concluir a sua volta ao mundo. Porém o submarino continuou navegando em direção às regiões austrais. Aonde iria? Ao polo? Aquilo era insensato. Eu começava a acreditar que as temeridades do capitão Nemo iam justificando as apreensões de Ned Land.

O canadense não me falava dos seus projetos de fuga há algum tempo. Tornara-se menos comunicativo, quase silencioso. Eu percebia o quanto aquele prolongado aprisionamento lhe custava. Sentia a sua cólera se acumulando. Quando encontrava o capitão, seus olhos se incendiavam e eu receava que a sua natural violência o levasse a uma atitude extrema.

Naquele dia, 14 de março, Conselho e ele vieram ao meu quarto. Perguntei a razão da visita.

– Vim lhe fazer uma pergunta, professor. Quantos homens julga que há a bordo do Náutilus? Tenho a impressão de que este barco não precisa de uma grande tripulação. – quis saber.

– Acredito que não, Ned – respondi. – Uma dezena de homens deve ser suficiente para manobrá-lo. Mas se você está pretendendo apoderar-se do Náutilus, não tente isso, meu amigo. Há pelo menos vinte e cinco homens a bordo.

– Um número muito grande para nós três – murmurou Conselho. – Portanto, meu caro Ned, só posso lhe aconselhar a ter paciência.

– Mais do que paciência, precisa ter resignação, Ned – acrescentou Conselho. – Afinal de contas o capitão Nemo não pode navegar eternamente para o sul. Vai ter de parar nem que seja diante dos bancos de gelo e regressará a mares mais civilizados. Então poderá retomar os seus projetos de fuga.

O canadense saiu sem dizer nada.

– Se o senhor me permitir gostaria de fazer uma observação – disse-me Conselho. – O pobre Ned pensa em tudo o que não pôde ter. Lembra-se de todas as coisas da sua vida passada. As recordações o perseguem e ele sofre. Temos de compreendê-lo. Afinal, o que ele pode fazer aqui? Nada. Não é um sábio como o senhor e não tem o mesmo interesse que nós temos pelas coisas admiráveis do mar. Ele daria tudo para poder entrar em uma das tabernas de sua terra.

A monotonia de bordo devia parecer insuportável ao canadense habituado a uma vida livre e ativa. Acontecimentos que poderiam interessá-lo eram raros. No entanto, naquele dia, um incidente veio recordar a Ned Land os seus dias de arpoador. Por volta das onze horas da manhã, encontrando-se à superfície do oceano, o Náutilus penetrou num cardume de baleias. Sem dúvida foi ele que primeiro avistou uma baleia no horizonte. Olhei atentamente quando Ned chamou minha atenção e vi o dorso negro elevar-se e abaixar-se alternadamente, a oito quilômetros do submarino.

– Se eu estivesse a bordo de um baleeiro, esse seria um encontro que me daria muito prazer – disse Ned Land. – Aquele é um animal de grande porte. Veja a força com que projeta colunas de água e de vapor! Com mil diabos! Por que tenho que estar preso a este pedaço de ferro?

A baleia continuava a aproximar-se do Náutilus e Ned Land não tirava os olhos dela. De repente ele exclamou:

– Não é apenas uma baleia, professor! São dez, vinte, é um cardume inteiro! E eu não posso fazer nada! – lamentou-se.

– Por que você não pede ao capitão Nemo uma autorização para caçá-las? – perguntou Conselho.

O canadense desceu a escada para falar com o capitão. Alguns minutos depois apareceram os dois na plataforma.

O capitão Nemo observou os cetáceos, que se encontravam a um quilômetro e meio do Náutilus e comentou:

– São baleias austrais. Fariam a fortuna de uma frota de baleeiros. O cardume é bem grande.

– Eu poderia caçá-las, senhor capitão – disse o canadense – pelo menos para não esquecer o meu antigo mister de arpoador?

– Não precisamos de óleo de baleia a bordo, mestre Ned. Caçar apenas para destruir? – perguntou o capitão.

– No Mar Vermelho o senhor autorizou a caça ao dugongo – argumentou Ned Land.

– Foi diferente. Tratava-se de arranjar carne fresca para a minha tripulação. Agora, seria matar por matar. Sei que esse é um privilégio reservado ao homem, mas eu não admito esses passatempos assassinos. Ao destruir a baleia austral e outros, seres inofensivos e bons, os homens de sua profissão, mestre Land, cometem uma ação lamentável. Foi assim que já despovoaram toda a baía de Baffin e fizeram desaparecer toda uma população de animais úteis. Deixe em paz as baleias. Dar semelhantes razões e conselhos a um arpoador era perder tempo.

Ned Land olhava para o capitão sem compreender o que ele queria dizer. Depois assobiou o seu *Yankee Doodle*, meteu as mãos nos bolsos e virou-nos as costas. Entretanto o capitão Nemo observava o cardume de cetáceos e acabou por me dizer:

– Sem contar o homem, a baleia tem muitos inimigos naturais, professor. Essas que estamos vendo, dentro de pouco tempo vão ter que enfrentar um deles. O senhor está vendo, a doze quilômetros para sotavento, aqueles pontos negros em movimento?

– Sim, capitão.

– São cachalotes, animais terríveis que já tenho encontrado em cardumes de duzentos e trezentos. Esses sim, cruéis e prejudiciais, devem ser exterminados.

O canadense virou-se ao ouvir essas palavras.

– Então, capitão, ainda há tempo. No interesse das baleias. – falei com ele, olhando para Ned Land.

– É inútil nos expormos, professor. O Náutilus dispersará os cachalotes. Está armado com um esporão de aço que vale muito mais do que o arpão de mestre Land.

O canadense encolheu os ombros. Atacar cetáceos com um esporão! Onde já se tinha visto aquilo?

– Espere, Sr. Aronnax – disse o capitão, depois de ter refletido por um momento. – Faremos uma caçada que ainda não conhece. Nada de piedade para esses ferozes cetáceos. Só têm bocas e dentes. Não se poderia descrever melhor o cachalote macrocéfalo, cujo comprimento ultrapassa por vezes os vinte e cinco metros. A enorme cabeça desse cetáceo ocupa cerca de um terço do seu corpo. Mais bem armado do que a baleia, cuja mandíbula superior tem apenas barbas, ele é munido de vinte e cinco grandes dentes de vinte centímetros de comprimento, cilíndricos e cônicos na extremidade e pesando duas libras cada um.

O monstruoso cardume de cachalotes se aproximava. Eles tinham visto as baleias e se preparavam para atacá-las. Podia-se prever a vitória dos cachalotes, não apenas porque são mais bem armados para o ataque, como também porque podem permanecer mais tempo do que elas debaixo da água sem ir à superfície para respirar. Estava na hora do Náutilus ir em socorro das baleias. Ele navegava submerso. Conselho, Ned e eu sentamo-nos diante dos painéis no salão. O capitão Nemo foi para junto do timoneiro a fim de manobrar o seu barco como se fosse uma máquina de destruição.

O combate entre os cachalotes e as baleias já havia começado quando o Náutilus chegou. O capitão manobrou de modo a dividir o cardume dos macrocéfalos. A princípio eles não ligaram ao novo monstro que aparecia no campo de batalha. Em breve sentiriam os seus golpes. Que luta! O próprio Ned Land ficou entusiasmado e acabou batendo palmas diante do painel. O Náutilus era um arpão formidável brandido pela mão do seu capitão. Lançava-se contra aquelas massas carnudas e atravessava-as de lado a lado, deixando à sua passagem os animais partidos pelo meio. Não sentia os formidáveis golpes das caudas dos cetáceos, nem os seus choques. Exterminado um cachalote corria para outro, dava meia volta, ia para a frente e para trás, obediente ao leme, mergulhando quando o cetáceo fugia para as camadas inferiores, subindo à superfície quando o animal fugia para lá, sempre atingindo-os, rasgando e matando sem parar.

Essa homérica chacina durou uma hora. Finalmente os que restavam dos cachalotes fugiram do campo de batalha. As águas se tornaram tranquilas. Voltamos à superfície. O alçapão foi aberto e nós corremos para a plataforma. O mar estava coberto de cadáveres mutilados. Uma forte explosão não teria destruído com mais violência aquelas massas carnudas. Flutuávamos no meio de corpos gigantescos, azulados no dorso e esbranquiçados no ventre, cobertos de enormes protuberâncias. As águas estavam manchadas de vermelho, e o Náutilus navegava no meio de um mar de sangue.

O capitão Nemo juntou-se a nós na plataforma.

– E então, mestre Land?

– Foi um espetáculo terrível, capitão – respondeu o canadense. Seu entusiasmo já havia se arrefecido. – Assisti a uma verdadeira carnificina. Mas eu não sou carniceiro, senhor. Sou arpoador.

– Foi uma chacina de animais prejudiciais – retrucou o capitão. – O meu barco não é o cutelo de um carniceiro.

– Gosto mais do meu arpão – declarou o canadense.

– Cada um com a sua arma!

– Ao dizer isso o capitão Nemo olhava fixamente para Ned Land.

Temi que o arpoador se deixasse dominar pela violência. Isso poderia ter consequências desastrosas para nós. Mas a sua cólera foi desviada ao avistar uma baleia a que o Náutilus acostava naquele momento.

Aquela não tinha conseguido escapar aos dentes dos cachalotes. A partir desse dia, comecei a notar que as intenções de Ned Lan em relação ao capitão Nemo tornavam-se cada vez piores, dando-me motivos para ficar seriamente preocupado. Resolvi vigiar de perto as reações e os gestos do canadense.

Capítulo 13
O gelo

O Náutilus retomara a sua imperturbável rota para o sul. Seguia o quinquagésimo meridiano com uma velocidade considerável. Queria chegar ao polo? Todas as tentativas já feitas para atingir esse ponto do globo terrestre tinham falhado.

No dia 14 de março avistei gelos flutuantes. O submarino mantinha-se à superfície do oceano. Ned Land já tinha pescado nos mares árticos e estava familiarizado com o espetáculo dos icebergs. Eu e Conselho os víamos pela primeira vez.

No horizonte sul havia uma faixa branca deslumbrante. Os baleeiros ingleses deram-lhe o nome de *ice-blinck*. Por mais espessas que sejam, as nuvens não conseguem escurecê-la. Essa faixa branca anuncia a presença do banco de gelo.

Em 15 de março passamos a latitude das ilhas New Shetland e das Orkney do Sul. O capitão me informou que ali tinham vivido numerosos grupos de focas. Os baleeiros ingleses e americanos, na sua fúria destruidora, chacinando adultos e fêmeas grávidas, tinham deixado atrás de si o silêncio da morte onde antes existia a animação e a vida.

No dia 16 de março, por volta das oito horas da manhã, o Náutilus seguindo o quinquagésimo quinto meridiano, cortou o Círculo Polar Antártico. O gelo nos rodeava por todos os lados. No entanto, o capitão Nemo avançava sempre.

– Quando tiver o caminho barrado terá de parar – disse-me Conselho, quando cogitávamos até onde o capitão pretendia ir.

Finalmente, no dia 18 de março, o Náutilus ficou definitivamente preso no gelo. Estávamos no meio de uma interminável e imóvel barreira formada por montanhas de gelo ligadas entre si.

– O banco de gelo – informou-me Ned Land. – Professor, se o capitão tentar ir mais longe. . .

– O que acontecerá?

– Será um homem morto. Ele é um homem poderoso, mas, com mil diabos, não é mais poderoso do que a natureza. Onde ela pôs os seus limites é preciso que todos respeitem.

– Acho que você está certo, Land, mas eu gostaria de saber o que há por trás desse banco de gelo. Não há nada de mais irritante do que um muro.

– O senhor tem razão – disse Conselho. – Os muros foram inventados para estimular os sábios.

– Todos nós sabemos o que há por trás desse banco de gelo Só há mais gelo. – falou Ned Land.

– Você tem certeza disso, Ned, mas eu não tenho. Por isso eu gostaria de ir lá ver – disse eu.

– Pois é melhor renunciar ao seu desejo, professor. Chegamos ao banco de gelo, o que já é muito e não iremos mais longe. Daqui o Náutilus terá que rumar para o norte, para a região dos homens honestos. Teremos de retroceder, Sr. Aronnax, queira ou não o capitão Nemo. De fato, apesar dos seus esforços, apesar dos seus poderosos meios para quebrar os gelos, o Náutilus estava reduzido à imobilidade. Normalmente, quem não pode avançar, pode voltar atrás. Mas na situação em que se encontrava o nosso submarino, recuar era tão impossível como avançar, porque as passagens tinham se fechado atrás de nós e o Náutilus, quase imóvel, não tardaria a ficar bloqueado. Isso aconteceu com extraordinária rapidez. O gelo foi-se formando nos seus flancos e o imobilizou completamente. Comecei a achar que a conduta do capitão Nemo era mais do que imprudente.

Ele estava na plataforma observando a situação. Aproximei-me dele e comentei:

– Penso que estamos presos, capitão.

– Por que pensa isso, Sr. Aronnax?

– Porque não podemos andar nem para frente nem para trás. Para os lados também não podemos ir..

– Na sua opinião o Náutilus não vai conseguir se libertar de onde estamos?

– Dificilmente, capitão.

– O senhor continua o mesmo homem incrédulo, professor – disse ele, sem disfarçar o tom irônico. – Só vê impedimentos e obstáculos. Afirmo-lhe que o meu barco não apenas se libertará daqui, mas ainda irá muito mais longe.

– Mais longe para o sul?

– Irá ao polo, professor.

Diante da minha expressão de espanto e incredulidade, ele reafirmou sua certeza no que havia dito.

– Sim, professor. Iremos ao polo antártico, a esse ponto desconhecido onde se cruzam todos os meridianos do globo. Sabe quê eu faço do Náutilus o que eu quero.

Sim! Eu sabia. Sabia que o capitão Nemo era audacioso até a temeridade. Mas vencer os obstáculos que povoam o polo Sul, mais inacessível do que o polo Norte, era uma empreitada completamente insensata. Então eu tive uma ideia. Não seria o caso do capitão já ter estado ali antes? Talvez já tivesse ido ao polo! Foi isso que perguntei a ele.

– Não, professor. Eu ainda não descobri o polo Sul. Haveremos de fazê-lo juntos. Onde os outros falharam, nós não falharemos. Nunca conduzi o Náutilus tão longe nos mares austrais, mas afirmo-lhe que ele ainda irá mais longe.

– Quero acreditar, capitão – falei, num tom um pouco irônico. Acredito! Vamos para a frente e não haverá obstáculos para nós. Quebremos esse banco de gelo! Se ele resistir, daremos asas ao Náutilus para que possa passar por cima dele!

– Não por cima, professor, por baixo – disse ele.

Uma súbita revelação dos projetos do capitão Nemo iluminou minha mente. As maravilhosas qualidades do seu barco iam servi-lo mais uma vez naquela empreitada sobre-humana.

– Por baixo, capitão! É isso mesmo. Iremos por baixo! – concordei com ele, sem qualquer ironia.

– Vejo que começamos a nos entender, professor. Já está antevendo o êxito da tentativa que vamos fazer. O que é impraticável com um navio comum torna-se fácil para o Náutilus. Essas montanhas de gelo não ultrapassam uma altura de cem metros acima da superfície do mar. Abaixo dela não terão mais de trezentos. Ora, o que são trezentos metros para o meu barco mergulhar?

– Nada, capitão. A única dificuldade que me ocorre será permanecermos vários dias debaixo da água sem renovar a nossa provisão de ar.

– Isso não será problema – sossegou-me ele. – O Náutilus tem vastos reservatórios que encheremos e nos fornecerão todo o oxigênio de que necessitamos. Mas, não querendo que me considere um temerário, professor, vou lhe dizer qual é o meu receio.

Olhei para ele e esperei curioso que me dissesse o que temia.

– Existindo um mar no polo Sul, temo que ele esteja totalmente bloqueado por grandes camadas de gelo que nos impeçam de subir à superfície. Se isso acontecer, eu ficarei muito decepcionado.

– Pode acontecer que encontremos mar livre no polo Sul, tal como acontece no polo Norte, capitão – falei entusiasmado. – Os polos do frio e os polos da terra não se confundem nem no hemisfério austral nem no hemisfério boreal. Até prova em contrário devemos imaginar ou um continente ou um mar livre de gelos nesses dois pontos do globo.

– Também penso assim, professor. Vamos tentar averiguar isso com os nossos próprios olhos.

A um sinal dele, o imediato apareceu. Os dois conversaram na sua incompreensível linguagem e desceram juntos para o interior do barco. Quando anunciei aos meus companheiros a nossa intenção de irmos até o polo Sul, Conselho ficou impassível. Disse apenas um "como o senhor quiser" e não fez nenhum comentário. Ned Land encolheu os ombros e fez um gesto significativo de sua impotência para nos impedir de cometermos aquela loucura.

– O senhor e o capitão Nemo estão se tornando dignos de piedade. Falou com uma seriedade que não deixava dúvidas de sua total condenação ao nosso projeto.

– Nós iremos ao polo, Land – reafirmei, convicto.

– É possível. Mas não regressarão!

Saiu para o seu camarote depois de dizer a Conselho que ia se retirar para não falar nenhuma inconveniência mais grave.

Os preparativos para a audaciosa tentativa começaram. As potentes bombas do Náutilus armazenaram o ar nos reservatórios. Às quatro horas da tarde, o capitão Nemo me avisou que os alçapões iam ser fechados. Lancei um último olhar ao espesso banco de gelo que íamos vencer. O tempo estava claro, a atmosfera pura, e o termômetro marcava doze graus abaixo de zero. Não era uma temperatura insuportável. Uma dezena de tripulantes subiu ao flanco do barco armados de picaretas e quebraram o gelo em redor da quilha, libertando-a. Foi uma operação rápida. O gelo ali era recente e ainda estava delgado. Descemos todos para o interior, os reservatórios de água foram cheios e o Náutilus não tardou a submergir.

A cerca de trezentos metros de profundidade, tal como o capitão Nemo havia previsto, navegávamos sob a superfície inferior do banco de gelo. Mas o submarino desceu ainda mais, atingindo uma profundidade de oitocentos metros.

Durante uma parte da noite, a novidade da situação manteve-nos junto do painel do salão. O mar se iluminava sob a irradiação elétrica do farol, mas estava deserto, pois os peixes não habitam em águas cobertas.

No dia seguinte, 19 de março, retomei o meu lugar no salão. A nossa velocidade era moderada. O Náutilus começava a voltar à superfície, mas prudentemente, esvaziando sem pressa os reservatórios.

Meu coração se acelerou. Iríamos emergir e encontrar a atmosfera livre do polo? Ainda não. O Náutilus bateu no fundo do banco de gelo, ainda muito espesso, a julgar pelo ruído abafado que se produziu. Durante todo o dia, sempre mais à frente, o submarino repetiu as tentativas de ir à superfície e continuou a se chocar contra o teto de gelo que nos cobria.

Eram oito horas da noite. Estava muito nervoso e fui me deitar mais cedo. Dormi mal naquela noite. Era constantemente assaltado ora pela esperança, ora pelo desespero. Levantei-me várias vezes. As experiências do Náutilus continuavam. Por volta das três horas da madrugada, observei que a superfície inferior do banco de gelo se encontrava apenas a cinquenta metros de profundidade.

Não voltei para o meu quarto. Os meus olhos se fixaram no manômetro. Continuávamos a subindo em diagonal. O banco de gelo baixava por cima e por baixo em rampas alongadas e ficava mais delgado a cada quilômetro.

Finalmente, às seis horas da manhã do memorável dia 19 de março, a porta do salão foi aberta e o capitão Nemo anunciou:

– Mar livre!

Capítulo 14

O polo sul

Precipitei-me para a plataforma. Sim! Era mar livre. Excetuando alguns pedaços de gelo dispersos, icebergs imóveis, avistava-se um extenso mar, uma infinidade de aves nos ares e milhares de peixes nas águas. O termômetro marcava três graus centígrados abaixo de zero. Era como uma primavera relativa fechada atrás do banco de gelo, cujas massas longínquas se elevavam no horizonte norte.

– Estamos no polo? – perguntei ao capitão, emocionado.
– Não tenho certeza – respondeu.
– O senhor acha que o sol se mostrará através da bruma?
– Por pouco tempo que apareça será o suficiente.

A dezesseis quilômetros do Náutilus, para o sul, elevava-se uma ilha solitária, a uma altura de duzentos metros. Navegávamos para ela, mas prudentemente, porque aquele mar poderia estar semeado de escolhos. Uma hora depois chegávamos à ilha, e duas horas mais tarde, tínhamos completado uma volta em redor dela. Media de seis a oito quilômetros de circunferência e um estreito canal separava-a de uma extensão de terra considerável, talvez um continente. A existência desta terra parecia dar razão às teorias de Maury. O engenhoso americano afirmara que entre o polo Sul e o sexagésimo paralelo, o mar estaria coberto de gelos flutuantes de enormes dimensões, que não se encontram iguais no Atlântico Norte. Desse fato concluiu que o círculo antártico encerraria terras consideráveis, uma vez que os icebergs não podem se formar em pleno mar, mas apenas junto das costas. Segundo os seus cálculos, a massa de gelo que envolve o polo austral forma uma calota cuja largura deve atingir quatro mil quilômetros.

No entanto o Náutilus, temendo encalhar, tinha parado a três braças de uma praia dominada por um montão de rochas. O bote foi lançado ao mar. O capitão, dois tripulantes levando os instrumentos, Conselho e eu embarcamos nele. Eram dez horas da manhã. Eu não tinha visto Ned Land. Certamente ele não quereria sofrer uma crítica minha, já que havíamos chegado ao polo Sul e com todas as possibilidades de regresso sem problemas.

Algumas remadas levaram o bote até a praia. No momento em que Conselho ia saltar para a terra, o interrompi:

– Cabe ao capitão Nemo a honra de ser o primeiro de nós a pisar esta terra.

Fiz um gesto de cortesia ao capitão, indicando-lhe a ilha.

– Obrigado, professor – disse ele. – Se não hesito em aceitar a sua gentileza é porque até hoje nenhum ser humano pisou a terra deste polo Sul. Tenho o privilégio de fazê-lo.

Depois disso, saltou pulou rápido para a areia. Estava com uma estranha emoção. Subiu em uma rocha, e ali, de braços cruzados, olhar ardente, imóvel e mudo, parecia tomar posse daquelas regiões austrais. Passados cinco minutos em êxtase, voltou-se para nós e falou:

– Quando quiser, Sr. Aronnax.

Desembarquei seguido de Conselho. Começamos a andar pela ilha. O solo apresentava um tufo de cor avermelhada, como se fosse feito de tijolo moído, coberto por escórias, correntes de lavas e pedra-pomes. Estava evidente a sua origem vulcânica. A vegetação daquele continente desolado me pareceu extremamente reduzida.

No entanto, a vida nos ares era superabundante. Milhares de aves de espécies variadas esvoaçavam acima de nossas cabeças, ensurdecendo-nos com seus gritos. Algumas pousavam nas rochas vendo-nos passar, sem mostrar qualquer receio. Pinguins ágeis e rápidos dentro da água, caminhavam lentamente na terra. Soltavam terríveis gritos e formavam numerosas assembleias, sóbrios nos gestos mas pródigos nos clamores.

Havia uma névoa fechada, e às onze horas o sol continuava encoberto. A sua ausência inquietava-nos. Sem ele não seria possível fazermos observações. Como determinar então se realmente tínhamos atingido o polo? Aproximei-me do capitão Nemo que estava encostado em um rochedo olhando para o céu. Pareceu-me contrariado e impaciente. Não podia fazer nada. Homem audaz e poderoso, ele não imperava no sol tal como o fazia no mar.

Ao meio-dia, o astro-rei não havia surgido por um só instante. Era até possível se reconhecer o lugar que ele ocupava por trás da cortina de nuvens.

– Fica para amanhã – disse-me o capitão.

Voltamos ao Náutilus.

No dia seguinte, 20 de março, o frio era intenso. O nevoeiro começou a dissipar-se e ficamos esperançosos de que o sol aparecesse para fazermos as nossas observações.

Como o capitão ainda não tinha aparecido, eu e Conselho pegamos o bote e fomos para a terra. Dirigimo-nos diretamente para a praia de um lugar que julgamos ser o continente. Milhares de aves, como vimos na pequena ilha, animavam o lugar que partilhavam com enormes rebanhos de mamíferos marinhos, os quais nos olhavam calmamente. Eram focas de várias espécies, umas estendidas no solo, outras deitadas em pedaços de gelo à deriva, e muitas outras saindo ou entrando nas águas do mar. Não fugiam à nossa aproximação, demonstrando que não nos receavam. Calculei que ali havia uma quantidade delas suficiente para abastecer algumas centenas de navios.

– Ainda bem que Ned Land não nos acompanhou disse Conselho.

– Por que você diz isso?

– Ele haveria de querer exterminá-las todas – indicou com o olhar as milhares de focas.

– Que exagero, meu caro. Mas creio que não conseguiríamos impedir que o nosso amigo canadense arpoasse algumas delas. Isso não agradaria nem um pouco ao capitão Nemo.

– Como posso classificar esses animais, professor? – perguntou Conselho.

Eu já esperava essa pergunta.

– São focas e morsas. Esses nomes lhe bastam.

– De fato, professor. São dois gêneros que pertencem à família dos pinípedes, ordem dos carnívoros, grupo dos unguiculados, subclasse dos monodelfininos, classe dos mamíferos, ramo dos vertebrados.

Eu invejava a incrível memória do meu criado.

– Muito bem, Conselho. Mas esses dois gêneros, focas e morsas, dividem-se em espécies e, se não me engano, teremos oportunidade de observá-las aqui. Vamos.

Eram oito horas da manhã. Restavam-nos quatro até o momento em que o sol poderia ser utilmente observado. Dirigimo-nos para uma vasta baía que era recortada na falésia granítica da margem.

As terras e os pedaços de gelo estavam cobertos de mamíferos marinhos, a perder de vista. Involuntariamente, procurei o velho Proteu, o pastor mitológico dos imensos rebanhos de Netuno. Eram principalmente focas, que formavam grupos distintos, machos e fêmeas, o pai vigiando a sua família, a mãe aleitando os filhos, alguns jovens já fortes dando alguns passos, emancipando-se.

Esses animais assumiam atitudes extremamente graciosas quando repousavam em terra. Por isso, os antigos, ao observarem o seu olhar doce e expressivo, que a mais suave e bela mulher não poderia suplantar, reparando as suas poses encantadoras e poetizando-as a sua maneira, metamorfosearam os machos em tritões e as fêmeas em sereias. Nenhum mamífero, excetuando-se o homem, tem matéria cerebral mais rica do que a das focas. Em consequência disso, elas são facilmente educáveis, deixam-se domesticar quase sem trabalho e eu penso, como alguns naturalistas, que elas, convenientemente ensinadas, poderiam prestar grandes serviços como cães de caça marítima.

Aproximamo-nos, a seguir, de alguns elefantes-marinhos.

– Esses animais não são perigosos? – perguntou-me Conselho.

– Não. A não ser que sejam atacados. Mesmo a foca, quando precisa defender o filho, vira uma fera.

– Está no seu direito – ponderou o meu criado.

– Penso assim também – apoiei o que ele acabara de dizer.

Depois de ter examinado essa colônia de focas, voltei ao submarino. Eram onze horas. O capitão Nemo deveria querer vir a terra para observar o sol. Tivemos apenas o tempo suficiente para levar o bote até o barco. O capitão saltou para dentro dele com os instrumentos e voltamos novamente para a terra.

Como na véspera, chegou o meio-dia e o sol não apareceu. Não dava para se fazer as observações. Se no dia seguinte acontecesse a mesma coisa, teríamos de desistir de tomar o ponto. Sem isso não poderíamos afirmar com absoluta certeza se estávamos realmente no polo Sul.

Era dia 20 de março. No dia seguinte, 21, dia do Equinócio, não contando com a refração, o sol desapareceria no horizonte por seis meses e com o seu desaparecimento, começaria a longa noite polar. Foi exatamente isso que eu disse ao capitão Nemo.

– Tem razão, Sr. Aronnax. Se amanhã eu não obtiver a altura do sol, antes de seis meses não poderei consegui-la. Mas se os acasos da navegação me trouxeram a esses mares, foi porque a 21 de março eu poderei fazer o ponto, com facilidade, ao meio-dia.

Preferi não fazer nenhum comentário à observação dele. No dia seguinte, às cinco horas da manhã, eu subi para a plataforma e o capitão Nemo já estava lá.

– O tempo vai se desanuviando aos poucos – disse-me ele. – Tenho esperanças. Depois do almoço iremos para a terra, a fim de escolhermos um ponto de observação.

Deixei-o e fui procurar Ned Land. Eu queria que ele nos acompanhasse. O obstinado canadense recusou-se ao meu convite. Sua taciturnidade aumentava a cada dia.

Após o almoço fomos para a terra. O Náutilus avançara mais seis quilômetros durante a noite, estando então a cinco quilômetros da costa. O bote nos deixou na praia. O céu clareava. As nuvens deslocavam-se para o sul. As brumas abandonavam a superfície das águas frias. O capitão Nemo dirigiu-se para um pico que fazia frente para o mar e tinha uma altura aproximada de quatrocentos metros. Eu e Conselho o acompanhamos.

Gastamos duas horas para chegar ao cimo dele. Lá no alto o capitão mediu a altura da montanha, pois tinha de contar com ela para as suas observações. Às onze horas e quarenta e cinco minutos, o sol, visto então apenas por refração, mostrou-se como um disco de ouro e espalhou os seus últimos raios sobre aquele mar nunca navegado. O momento era muito solene para nós.

Com óculos de retículos que por meio de um espelho corrigia a refração, o capitão Nemo observou o astro que pouco a pouco desaparecia no horizonte, seguindo uma longa diagonal. Eu segurava o cronômetro e o meu coração estava acelerado. Se o desaparecimento do sol coincidisse com o meio-dia do cronômetro, estávamos mesmo no polo.

– Meio-dia! – exclamei.

– O polo Sul – falou o capitão Nemo, com voz grave, passando-me para a mão os óculos que mostravam o astro precisamente cortado em duas metades iguais pelo horizonte. Vi os seus últimos raios coroarem o pico onde estávamos e as sombras subirem pouco a pouco pelas suas vertentes.

Naquele momento, o capitão Nemo, apoiando a mão no meu ombro, disse:

– Sr. Aronnax: em 1600, o holandês Ghéritk, arrastado por correntes e tempestades, atingiu sessenta e quatro graus de latitude sul e descobriu as ilhas New Shetland. Em 1773, dia 17 de janeiro, o ilustre Cook, seguindo o trigésimo oitavo meridiano, atingiu 71° 15' de latitude. Em 1820; o americano Morrel, cujos relatos são duvidosos, chegando ao quadragésimo segundo meridiano, descobriu o mar livre a 70° 14' de latitude. Em 1825, o inglês Powell não conseguiu ultrapassar o sexagésimo segundo grau. No mesmo ano, um simples pescador de focas, o inglês Weddel, chegou a 72º 14' de latitude no trigésimo quinto meridiano e a 74° 15' no trigésimo sexto. Em 1829, o inglês Foster, comandante do "Chanticleer", tomava posse do continente antártico a 63° 26' de latitude e 66° 26' de longitude. Em 1831, no dia 1º de fevereiro, o inglês Biscoae descobria a terra de Enderby a 68° 50', de latitude; a 5 de fevereiro de 1832, a terra de Adelaide, a 67º de latitude, e a 21 de fevereiro a terra de Graham, a 64° 45' de latitude. Em 1838, o francês Dumond d'Urville, detido pelo banco de gelo a 620 57' de latitude, descobria a terra de Luís Felipe; dois anos depois, em outra viagem ao sul, a 21 de janeiro atingia a 660 30' a terra de Adélia e, oito dias depois, a 64° 40' a Costa Clarie. Em 1838, o inglês Wiles progredia até o sexagésimo nono paralelo, no centésimo meridiano. Em 1839, o inglês Balleny descobria a terra Sabrina, no limite do círculo polar. Finalmente, em 1842, a 12 de janeiro, o inglês James Ross, comandando o "Erebus" e o "Terror", encontrava a 76° 56' de latitude e 17° 7' de longitude leste, a terra Vitória; a 23 do mesmo mês, chegava ao septuagésimo quarto paralelo, o ponto mais avançado até então atingido; a 27 estava a 76° 8'; a 28 a 77° 32'; a 2 de fevereiro, a 78° 4' e, em 1842 regressava ao septuagésimo primeiro grau, que não conseguiu ultrapassar. Pois bem! Eu, capitão Nemo, a 21 de março de 1868, cheguei ao polo Sul, aos noventa graus, e tomo posse desta zona do globo terrestre, equivalente à sexta parte dos continentes conhecidos.

– Em nome de quem, capitão?

– Em meu nome, senhor professor!

Dito isto, o capitão Nemo desfraldou uma bandeira negra com um N gravado no tecido. Depois, virando-se para o sol, cujos últimos raios brilhavam no horizonte, falou:

– Adeus, sol! Desaparece, astro radioso! Esconda-se nesse mar livre e deixe uma noite de seis meses estender as suas sombras sobre o meu novo domínio!

Capítulo 15
Acidente ou incidente?

Os últimos raios do crepúsculo misturavam-se com a noite, quando começamos os preparativos para a partida, às seis horas da manhã do dia 22 de março. O frio era intenso. As constelações resplandeciam com surpreendente intensidade. No zênite brilhava o admirável Cruzeiro do Sul, a estrela polar das regiões antárticas.

O termômetro marcava doze graus abaixo de zero e quando o vento soprava, sentíamos picadas dolorosas. Os pedaços de gelo multiplicavam-se na água. O mar tendia a gelar. Evidentemente a bacia natural, gelada durante os seis meses de inverno, seria inacessível. Os reservatórios de água estavam cheios e o Náutilus imergia lentamente. Parou a uma profundidade de trezentos metros. Avançou para o norte com uma velocidade de setenta quilômetros por hora. À tardinha já navegava sob a imensa carapaça do banco de gelo. Por prudência os painéis do salão tinham sido fechados para evitar possíveis choques dos vidros com algum bloco de gelo solto. Como não tinha nada para fazer no salão, fui me deitar.

Fui acordado por um choque violento às três horas da madrugada. Levantei-me da cama e me pus à escuta no meio da obscuridade, quando fui bruscamente precipitado para o meio do quarto. O Náutilus adernava depois do choque. Amparei-me nas paredes e me arrastei pelos corredores até o salão. Conselho e Ned Land já estavam lá comentando o acontecimento, mas tão ignorantes como eu do que realmente sucedera e qual era a situação do submarino. Estávamos há vinte minutos tentando escutar os mínimos ruídos no interior do Náutilus, quando o capitão Nemo entrou. O seu rosto habitualmente impassível revelava uma certa preocupação. Observou em silêncio a bússola e o manômetro e foi pôr o dedo num ponto do planisfério, na parte que representava os mares austrais.

Eu não quis interromper os estudos que ele fazia nos aparelhos. Passado um momento, quando se virou para mim, eu lhe dirigi a palavra utilizando uma expressão de que ele havia se servido quando encalhamos no Estreito de Torres:

– Um incidente, capitão?

– Não, professor, desta vez é um acidente.

– Grave?

– Talvez. Mas não há perigo imediato. O Náutilus encalhou devido a um capricho da natureza e não à imperícia dos meus homens. Não foi cometido um único erro nas nossas manobras. Pode-se desafiar as leis humanas, mas não se pode resistir às leis da natureza.

Sobre o acidente, a resposta dele não nos esclareceu nada.

– Pode me dizer qual a causa do acidente, capitão?

– Um enorme bloco de gelo, uma montanha inteira, virou-se. Quando os icebergs são minados na base por águas mais quentes ou por repetidos choques, o seu centro de gravidade sobe. Então, viram-se ao contrário. Foi o que aconteceu. Um desses blocos ao virar-se bateu no meu barco que flutuava sob as águas. Depois, deslizando-lhe por baixo do casco e elevando-o com força irresistível, arrastou-o para camadas menos densas, onde se encontra deitado de flanco.

– As providências...

– Já estão sendo tomadas, professor. Os reservatórios estão sendo esvaziados e o senhor pode ouvir as bombas funcionando. O ponteiro do manômetro indica que o Náutilus está subindo, mas o bloco de gelo sobe também. Até que um obstáculo de qualquer ordem detenha a ascensão dele, a nossa situação não se alterará.

O capitão não tirava os olhos do manômetro. De repente, sentimos um movimento do casco e o submarino começou a se endireitar. Ninguém falava. Com os corações apertados, observávamos, sentíamos os movimentos do navio. O chão tornava-se horizontal debaixo dos nossos pés. Passaram-se dez minutos. O Náutilus voltara à sua posição normal.

– Flutuaremos, capitão? – perguntei.

– Certamente que sim, uma vez que os reservatórios ainda não estão vazios. Logo que estejam, levarão o Náutilus à superfície do mar. O capitão saiu. Logo depois, o submarino começou a flutuar. Mas a uma distância de dez metros em seu redor, elevava-se uma resplandecente muralha de gelo. Por cima e por baixo, a mesma muralha. Ele estava prisioneiro num verdadeiro túnel de gelo, com cerca de vinte metros de largura e cheio de uma água tranquila.

Como se tivesse encontrado uma saída, de repente o Náutilus adquiriu velocidade. Os painéis do salão foram fechados. Eram então cinco horas da manhã. Naquele momento sentimos um novo choque na proa do submarino. Percebi que seu esporão havia batido em um bloco de gelo. Calculei que o avanço para a frente não deveria ser impossível. Contrariando a minha expectativa, o Náutilus iniciou um movimento de retrocesso muito pronunciado.

– Voltamos para trás? – perguntou Conselho.

– Sim. Este lado do túnel não deve ter saída – respondi.

– E depois?...

– Depois a manobra é muito simples. Voltamos pelo mesmo caminho e saímos pela abertura sul. É tudo!

Ao falar assim, eu quis dar a impressão de estar mais tranquilo do que realmente estava. Entretanto, o movimento de retrocesso do barco acelerava-se e, avançando a contra-hélice, movia-se velozmente.

– Será um atraso – disse Ned Land.

– Que interessam umas horas a mais ou a menos, desde que se saia? – falei, um tanto rispidamente.

– Sim, desde que se saia – repetiu ele.

Passaram-se algumas horas. Eu observava constantemente os instrumentos suspensos na parede do salão. O manômetro indicava que o Náutilus se mantinha a uma profundidade constante de trezentos metros e a bússola marcava para o sul. Sua velocidade era de trinta quilômetros por hora, realmente excessiva num espaço tão apertado. Mas o capitão sabia que tinha de andar depressa e que na nossa situação os minutos valiam séculos.

Às oito horas ocorreu um segundo choque, dessa vez na ré. Empalideci. Os meus companheiros tinham se aproximado e eu peguei na mão de Conselho. O silêncio exprimia melhor a nossa angústia. O capitão apareceu naquele momento e eu me dirigi a ele:

– O caminho está obstruído para o sul?

– Sim, professor. Ao virar-se, o iceberg vedou-nos todas as saídas.

– Estamos bloqueados?

– Sim.

Capítulo 16

Falta de ar

Em volta do Náutilus havia uma intransponível muralha de gelo. Estávamos prisioneiros do banco de gelo. Ned Land bateu com sua robusta mão numa mesa. Conselho permanecia calado. Eu olhava para o capitão: seu rosto retomara a habitual impassibilidade. Tinha cruzado os braços e refletia. O Náutilus estava imóvel e nenhum de nós tinha qualquer ideia salvadora.

Então o capitão rompeu o silêncio e disse:

– Meus senhores, nas condições em que nos encontramos, há duas maneiras de morrermos.

Sua voz soou calma e ele parecia um professor de matemática fazendo uma demonstração.

– A primeira é morrermos esmagados, a segunda é morrermos asfixiados. Não falo da possibilidade de morrermos de fome, porque as provisões do Náutilus certamente durarão mais do que nós. Preocupemo-nos, portanto, com as hipóteses de esmagamento e asfixia.

– Quanto à asfixia – disse eu – não é muito de recear porque os nossos reservatórios estão cheios de ar.

– É verdade. Chegam para mais dois dias – falou o capitão. – Ora, estamos há trinta e seis horas debaixo da água e a pesada atmosfera do Náutilus pede para ser renovada. Dentro de quarenta e oito horas a nossa reserva de ar estará esgotada. Entretanto, vamos tentar perfurar a muralha que nos rodeia. A sonda nos indicará o lado melhor para a nossa tentativa. Vou encalhar o Náutilus no banco inferior e os meus homens, envergando escafandros, atacarão o iceberg pela sua parede menos espessa.

– Pode-se abrir os painéis, capitão? – perguntei.

– Não há inconveniente porque estamos parados.

Ele saiu em seguida. Logo depois o Náutilus desceu lentamente e foi parar no banco de gelo a uma profundidade de trezentos e cinquenta metros.

– Meus amigos – falei com meus dois companheiros – a situação é grave, mas conto com a coragem e a energia de vocês.

– Não será num momento como esse que irei aborrecê-lo com as minhas recriminações, professor – disse o canadense. – Estou pronto a fazer tudo o que for necessário para a salvação de todos.

Fiquei comovido e apertei a mão dele. Ofereceu-se para trabalhar com os homens do capitão ajudando a furar a parede de gelo. Sua oferta foi aceita e ele me pareceu bastante satisfeito com isso.

Eu e Conselho voltamos para o salão, cujos painéis já estavam abertos. Examinei as camadas ambientes que suportavam o submarino. Passados alguns instantes, vimos doze homens da tripulação pisar o banco de gelo, entre os quais se contava Ned Land, reconhecível pela sua elevada estatura. O capitão Nemo estava junto com eles.

Antes de começar a escavar as muralhas, ele fez as sondagens para assegurar a boa direção dos trabalhos. Depois de várias experiências com as sondas longas, ele se decidiu pela superfície inferior que nos separava da água apenas dez metros, pela sua verificação. O trabalho começou imediatamente, conduzido com infatigável obstinação. Após duas horas de enérgico trabalho, Ned Land e seus companheiros foram substituídos por outra turma, da qual eu e Conselho fazíamos parte. Quando após duas horas de trabalho voltei a bordo para comer e descansar, achei uma grande diferença entre o ar puro que me fornecia o aparelho Rouquayrol e a atmosfera do Náutilus já carregada de gás carbônico. Pelo rendimento de nosso trabalho conjunto durante quatro horas, eu fiz um cálculo de que levaríamos mais cinco noites e quatro dias para levarmos a bom termo a nossa tarefa.

– Cinco noites e quatro dias e só temos ar para dois dias nos reservatórios – falei aos meus companheiros.

– Sem contar – replicou Ned – que uma vez libertos desta prisão continuaremos prisioneiros do banco de gelo e sem comunicação possível com a atmosfera.

Com todas essas reflexões pessimistas, mas bem razoáveis, o trabalho continuou em ritmo acelerado. No entanto, eu já havia notado e falado só com o capitão Nemo, que as paredes do fosso que estávamos abrindo, iam se fechando. No dia 26 de março retomei o meu trabalho de mineiro, escavando com disposição. Logo que comecei a trabalhar, percebi que as paredes laterais e a superfície inferior do banco de gelo se engrossavam sensivelmente. Era visível que se uniriam antes do Náutilus poder se safar. A picareta quase me fugiu das mãos. Parecia-me que estava entre as terríveis mandíbulas de um monstro e elas se fechavam.

Naquele momento, o capitão Nemo passou perto de mim. Toquei-lhe a mão e apontei para as paredes de nossa prisão. Ele me fez sinal para segui-lo. Regressamos a bordo e, tirado o escafandro, acompanhei-o até o salão.

– Sr. Aronnax, temos de tentar qualquer meio heroico, ou seremos esmagados por esta água que se solidifica como cimento!

– Estou de acordo, capitão. Mas o que havemos de fazer?

Ele começou a refletir, silencioso e imóvel. Eu notava quando uma ideia lhe surgia no espírito. Logo depois percebia que ele a afastava. Respondia negativamente a si mesmo. Finalmente ele falou:

– Água fervente!

– Água fervente? – indaguei.

– Sim, professor. Estamos fechados num espaço relativamente pequeno. Talvez jatos de água fervendo constantemente injetados pelas nossas bombas, elevem a temperatura do meio e atrasem a congelação.

– É preciso tentar – concordei.

– Pois tentemos, professor.

O termômetro marcava sete graus no exterior. O capitão me chamou para a cozinha, onde funcionavam enormes aparelhos de destilação que forneciam água potável por evaporação. Encheram-se de água e todo o calor elétrico das pilhas foi lançado através de serpentinas banhadas pelo líquido. Em poucos minutos a água atingiu cem graus e foi lançada para as bombas, enquanto nova água a substituía e assim sucessivamente. O calor desenvolvido pelas pilhas era tal que a água fria aspirada do mar, apenas atravessava os aparelhos, já chegava fervendo nas bombas.

A injeção começou e três horas depois o termômetro marcava uma temperatura exterior de seis graus abaixo de zero. Ganhamos um grau. Duas horas mais tarde o termômetro marcava apenas quatro graus.

– Conseguiremos – eu disse ao capitão.

– Penso que sim. Não seremos esmagados. Agora só temos que recear a asfixia.

No dia seguinte, 27 de março, já tinham sido escavados seis metros. Faltavam quatro. Eram mais quarenta e oito horas de trabalho. O ar já não podia ser renovado no interior do Náutilus. O trabalho prosseguia com vigor. Faltavam apenas dois metros para chegarmos ao mar livre.

Mas os reservatórios estavam quase vazios de ar.

Quando terminei o meu turno de trabalho e voltei para bordo, quase sufoquei. Aquela foi uma noite horrível e eu não saberia descrevê-la. No dia seguinte minha respiração era abafada. As dores de cabeça juntavam-se terríveis vertigens que faziam de mim um ébrio. Os meus companheiros sentiam os mesmos sintomas. Alguns tripulantes agonizavam.

Naquele dia, o sexto do nosso aprisionamento, o capitão Nemo, achando que a picareta era muito lenta, resolveu esmagar a camada de gelo que ainda nos separava da camada líquida. Aquele homem tinha conservado o sangue-frio e a energia. Com a sua força moral, ele dominava as dores físicas. Pensava, combinava, agia.

A uma ordem sua, o navio foi elevado. Uma vez flutuando, foi manobrado de forma a ficar por cima do imenso fosso desenhado segundo a sua linha de flutuação. Então toda a tripulação entrou a bordo e a dupla porta de comunicação foi fechada. O Náutilus repousava agora na camada de gelo que não tinha mais de um metro de espessura e que a sonda tinha furado em mais de mil locais.

As torneiras dos reservatórios foram abertas, permitindo a entrada de cem metros cúbicos de água, aumentando em cem mil quilos o peso do submarino. Esperávamos, escutávamos, esquecendo o nosso sofrimento. Era a nossa última oportunidade de salvação.

Apesar do latejar da minha cabeça, ouvi distintamente ruídos debaixo do casco do Náutilus. Ocorreu um desnivelamento. O gelo se quebrou com um estalido semelhante ao do papel ao ser rasgado, e o submarino desceu.

– Passamos! – murmurou Conselho ao meu ouvido. Levado pela sua enorme sobrecarga, o Náutilus desceu como se tivesse caído no vazio. Então foi transmitida toda a força às bombas e elas começaram a expelir a água dos reservatórios. Após alguns minutos, a nossa queda foi suspensa e o manômetro começou a marcar um movimento ascensional. A hélice, trabalhando a toda velocidade, fazia estremecer o casco por inteiro e nos levava para o norte.

Mas quanto tempo duraria a navegação sob o banco de gelo? Prostrado num divã da biblioteca, eu me sentia sufocar. Já não via e nem ouvia. A noção de tempo tinha desaparecido do meu espírito. Não sei dizer quantas horas passei assim, mas tive consciência do começo de minha agonia. Eu ia morrer...

De repente recuperei os sentidos. O ar me enchia os pulmões. Teríamos subido à superfície? Teríamos ultrapassado o banco de gelo? Não. Eram os meus dois grandes amigos, Ned Land e Conselho que se sacrificavam para me salvar. Alguns átomos de ar restavam ainda no fundo de um aparelho e, em vez de o respirarem, eles os davam para mim. Enquanto sufocavam, davam-me vida gota a gota!

Olhei para o relógio. Eram onze horas da manhã. Devíamos estar no dia 28 de março. O Náutilus avançava à fantástica velocidade de sessenta quilômetros por hora. O manômetro me indicou que estávamos apenas a uns seis metros da superfície. Uma simples camada de gelo nos separava da atmosfera. Não seria possível quebrá-la?

O Náutilus ia tentar. Senti que ele era colocado em posição oblíqua, baixando a ré e levantando o esporão. Impelido pela sua poderosa hélice, atacou o banco de gelo de baixo para cima. Foi quebrando-o pouco a pouco. Recuava e tornava a se precipitar contra o campo de gelo, desmoronando-o. Finalmente, num esforço supremo, lançou-se contra a superfície gelada e esmagou-a com seu peso.

O alçapão foi aberto e o ar penetrou em todos os seus compartimentos.

Capítulo 17

Do Cabo Horn ao Amazonas

Ignoro como eu fui parar na plataforma. Talvez o canadense tivesse me levado. Mas eu respirava e absorvia o ar vivificante do mar.

– Ah! – dizia-me Conselho. – O oxigênio é tão bom! O senhor não tenha receio de respirar. Há que chegue para todos.

Ned Land, não falava mas abria a boca de tal maneira que assustaria um tubarão. E que poderosas inspirações! O canadense arfava como um fogão em plena combustão.

Recuperei imediatamente as forças e, quando olhei à minha volta, vi que estávamos sós na plataforma. Nenhum dos homens da tripulação e nem o capitão Nemo. Os estranhos marinheiros do Náutilus contentavam-se com o ar que circulava no interior.

As primeiras palavras que pronunciei foram de agradecimento e gratidão para meus dois companheiros.

– Bom, professor, não se fala mais nisso – disse-me Ned Land. – Não temos nenhum mérito pelo que fizemos. Foi uma questão de aritmética. A sua existência valia mais do que a nossa. Portanto era preciso conservá-la.

– Não, Ned, não valia e nem vale mais. Ninguém é superior a homens generosos como vocês.

Ficamos calados por um momento e depois eu disse:

– Meus amigos, estamos ligados uns aos outros para sempre. Vocês têm sobre mim os direitos...

– Dos quais abusarei – interrompeu-me o canadense.

– Como? – perguntou Conselho.

– Abusarei do direito de levá-lo comigo quando deixar este infernal Náutilus – respondeu Ned Land.

– De fato – disse Conselho – vamos no bom caminho.

– Sim – acrescentei – vamos para o lado do sol e aqui o sol significa norte.

– Sem dúvida – concordou Ned Land – mas resta saber se navegamos para o Pacífico ou para o Atlântico.

Para os mares frequentados ou os desertos.

Tínhamos que pensar nisso.

O Náutilus avançava rapidamente. O círculo polar foi ultrapassado, assim como o cabo que fica no Promontório de Horn. Estávamos na extremidade do Continente americano no dia 31 de março às sete horas da noite. Olhando as anotações do imediato na carta de navegação, eu podia determinar a direção exata do Náutilus. Ora, naquela tarde ficou evidenciado, para minha grande satisfação, que voltávamos para o norte pela rota do Atlântico.

Comuniquei essa observação aos meus companheiros.

– Boa notícia – disse Ned Land. – Mas para onde vai o Náutilus?

– Não sei, meu caro.

– Ele não nos diz nada – falou Conselho, referindo-se ao capitão – mas eu só posso dizer que é um grande homem esse capitão Nemo. Não lamentaremos por tê-lo conhecido.

– Sobretudo quando o tivermos deixado – retrucou Ned Land.

No dia seguinte, 1º de abril, quando o Náutilus subiu à superfície das águas, alguns minutos antes do meio-dia, avistamos uma costa a oeste. Era a Terra do Fogo, à qual os primeiros navegadores deram este nome ao verem os numerosos focos de fumo que se elevavam das cabanas dos indígenas. A costa parece baixa, mas ao longe elevam-se altas montanhas. Julguei até ter visto o Monte Sarmiento, com dois mil e setenta metros acima do nível do mar, bloco piramidal de xisto, de cume aguçado, que, segundo Ned Land, estando enevoado ou limpo anuncia o mau ou o bom tempo.

À noite o Náutilus aproximou-se do Arquipélago das Maloínas. A profundidade do mar era pouca. Pensei então que aquelas duas ilhas, rodeadas por numerosas ilhotas, faziam outrora parte das terras de Magalhães. As Maloínas foram descobertas provavelmente pelo célebre John Davis, que lhes pôs o nome de Davis-Southern-Islands. No princípio do século XVIII, foram chamadas de Maloínas pelos pescadores de Saint-Malo e, finalmente, por Falklands pelos ingleses. Quando as Maloínas desapareceram no horizonte, o Náutilus submergiu entre vinte e vinte e cinco metros e seguiu a costa americana. O capitão Nemo estava sumido.

No dia 3 de abril, ora submerso ora na superfície, navegamos na região da Patagônia. O Náutilus passou pelo grande estuário formado pela desembocadura do rio da Prata e no dia 4 de abril estávamos em frente ao Uruguai, a oitenta quilômetros ao largo. A sua direção se mantinha para o norte, seguindo as longas sinuosidades da América Meridional. Já tínhamos então percorrido vinte e seis mil quilômetros desde o nosso embarque, nos mares do Japão.

Por volta das onze horas da manhã passamos o Trópico de Capricórnio no meridiano 37 e navegamos ao largo do Cabo Frio. O capitão Nemo, para grande aborrecimento de Ned Land, não gostava das costas habitadas do Brasil, pois passou por elas com grande velocidade.

Essa rapidez manteve-se durante vários dias. Na noite do dia 9 de abril, avistamos a ponta mais oriental da América o Sul, que forma o Cabo São Roque. No dia 11 de abril o Náutilus subiu para a superfície e a terra reapareceu à vista do rio Amazonas, vasto estuário cuja caudal é tão considerável que puxa o sal do mar numa extensão de vários quilômetros. Tínhamos passado o Equador. A trinta quilômetros para oeste ficavam as Guianas, terras francesas, onde facilmente encontraríamos refúgio. Mas o vento soprava forte e as vagas, furiosas, não permitiam que um frágil bote as enfrentasse. Ned Land deve ter compreendido isso, pois não me falou em evasão. Por meu lado não fiz qualquer alusão ao assunto, porque não queria levá-lo a uma tentativa infalivelmente condenada ao malogro.

No dia 12 de abril, o Náutilus aproximou-se da costa, junto da embocadura do Maroni. A finalidade, que não tardamos a descobrir, foi a pesca para reabastecer de carne as despensas do navio.

Capítulo 18

Os polvos

O Náutilus manteve-se sempre afastado da costa americana durante alguns dias. Era evidente que não queria frequentar as águas do golfo do México ou do Mar das Antilhas. A 16 de abril avistamos a Martinica e Guadalupe, a uma distância de cerca de cinquenta quilômetros. Por instantes eu pude ver os seus gumes aguçados.

O canadense, que contava com uma oportunidade de pôr em prática o seu plano de fuga nas águas do golfo, quer tentando alcançar terra, quer acostando-se a um dos numerosos navios que navegam entre as ilhas, ficou muito desapontado. A fuga teria sido praticável se ele conseguisse se apossar do bote, sem que o capitão notasse. Mas em pleno oceano isso nunca teria sido possível.

Tivemos uma reunião sobre o assunto. Há seis meses que éramos prisioneiros a bordo do Náutilus. Já tínhamos percorrido quase vinte e oito mil quilômetros e, como dizia Ned Land, nada levava a crer que aquilo tivesse um fim. Ele resolveu me fazer uma proposta com a qual eu não contava. Eu deveria fazer uma pergunta categórica ao capitão Nemo sobre as reais intenções dele a nosso respeito. Pretendia nos manter para sempre a bordo do Náutilus?

Na minha opinião isso não daria bom resultado. Só devíamos contar conosco. Aliás, há algum tempo o capitão estava cada vez mais sombrio, mais retirado, menos sociável. Parecia evitar-me. Eu raramente o encontrava. Antes ele gostava de me explicar as maravilhas submarinas, mas agora abandonara-me aos meus estudos e não comparecia ao salão.

Que mudança teria se operado nele? Qual o motivo dela? Não tinha nada a me censurar. Talvez a nossa presença a bordo o incomodasse. De qualquer maneira eu não acreditava que ele nos daria a liberdade. Portanto pedi a Ned Land que me desse tempo para refletir. Aquela pergunta poderia levantar suspeitas no espírito do capitão, tornar a nossa situação penosa e prejudicar nossas possibilidades de fuga. Excetuando-se a dura provação do bloco de gelo no polo Sul, nós passávamos sempre muito bem. A alimentação sadia, a atmosfera salubre, a regularidade da existência e a uniformidade da temperatura, tudo isso nos mantinha com ótima saúde.

Para um homem que não lamentava as recordações de terra, para um capitão Nemo, que se sentia em casa, que ia onde queria, que por meios misteriosos para os outros, mas claros para ele, avançava para um alvo, era fácil compreender aquela existência. Mas nós não tínhamos rompido com a humanidade. Não queria que os meus estudos, tão curiosos e inovadores desaparecessem comigo. Eu tinha agora o direito e as condições de escrever o verdadeiro livro do mar, e queria que mais cedo ou mais tarde esse livro fosse publicado. Ali mesmo naquelas águas das Antilhas, a dez metros de profundidade, através dos painéis abertos, eu podia ver interessantíssimos exemplares da fauna submarina. Aos poucos o Náutilus foi mergulhando nas camadas mais profundas. Os seus planos inclinados levaram-no a profundidades de até dois e três mil metros. Então a vida animal tinha por únicos representantes as estrelas-do-mar, mexilhões e outros moluscos litorais.

No dia 20 de abril subimos a uma altura média de mil e quinhentos metros. A terra mais próxima era então o Arquipélago das Lucaias, espalhadas como um monte de pedras na superfície das águas. Ali, elevavam-se altas falésias submarinas, muralhas a pique feitas de blocos desgastados, dispostas em grandes camadas, entre as quais se viam enormes buracos negros que os nossos raios elétricos não conseguiam iluminar até o fundo.

Essas rochas estavam cobertas de grandes ervas, de laminárias e bodelhas gigantes. Uma verdadeira latada de hidrofitas, digna do mundo dos Titãs. Eram cerca de onze horas, quando Ned Land me chamou a atenção para um formidável turbilhão produzido entre as algas:

– São autênticas cavernas de polvos e não me admiraria nada se víssemos alguns desses monstros.

– Como? – perguntou Conselho. – Calamares, simples calamares da classe dos cefalópodes?

– Não – respondi – polvos de grandes dimensões. Mas o nosso amigo Ned deve ter se enganado, porque não vejo nada.

– Lamento muito – disse Conselho. – Gostaria de ver um desses polvos de que tanto ouvi falar, e que podem arrastar navios para os fundos dos abismos. Esses animais chamam "krak..."

– Krak chega – disse ironicamente o canadense.

– Krakens – retorquiu Conselho, recordando a palavra sem se preocupar com – a brincadeira do companheiro.

– Nunca me farão acreditar que esses animais existem.

– Por que não? – perguntou Conselho. – Acreditamos no narval.

– E erramos, Conselho.

– Sem dúvida. Mas tem gente que ainda acredita.

– É provável. Quanto a mim só acreditarei na existência desses monstros quando os dissecar com as minhas com próprias mãos.

– E o senhor acredita nos polvos gigantescos?

– Quem alguma vez acreditou? – exclamou o canadense.

– Muita gente, amigo Ned – falei. – Pescadores certamente que não. Talvez sábios acreditem.– Mas eu afirmo que me lembro perfeitamente de ter visto – disse Conselho com o ar mais sério que se poderia desejar – uma grande embarcação arrastada pelos tentáculos de um cefalópode.

– Viu isso? – perguntou o canadense.

– Sim, Ned.

– Com os seus próprios olhos?

– Com os meus próprios olhos.

– E onde, se não se importa?

– Em Saint-Malo – respondeu Conselho, imperturbável.

– No porto? – perguntou Ned Land, irônico.

– Não. Numa igreja! – informou Conselho.

– Numa igreja! – exclamou o canadense.

– Sim, meu amigo. Era um quadro que representava o polvo em questão, arrastando o navio.

– Ah! – Ned Land começou a rir. – Isso tem muita graça.

– De fato, ele tem razão – disse eu. – Já ouvi falar desse quadro, mas o animal que representa foi tirado de uma lenda e vocês sabem o crédito que se deve dar a lendas, em matéria de história natural. Aliás, quando se trata de monstros a imaginação não tem limites. Não só se afirma que esses polvos podem arrastar navios, como também um certo Olaus Magnus fala de um cefalópode com mil e quinhentos metros de comprimento, mais parecido com uma ilha do que com um animal. Conta-se também que o bispo de Nidros construiu um dia um altar sobre um enorme rochedo. Acabada a missa, o rochedo pôs-se em movimento e voltou ao mar. Era um polvo.

– É tudo? – perguntou o canadense.

— Não. Um outro bispo, Pontoppidan de Berghem, fala igualmente de um polvo sobre o qual podia manobrar um regimento de cavalaria.

— Interessantes esses bispos de antigamente! – disse Ned Land.

— Finalmente, os naturalistas antigos citam monstros de goelas que se assemelhavam a um golfo e que eram demasiado grandes para passar no Estreito de Gibraltar.

— Ainda bem! – comentou o canadense.

— Mas em todos esses relatos não há nada de verdade? – perguntou o meu criado.

— Nada, meus amigos. Nada desde que se ultrapasse o limite do verossímil para chegar à fábula e à lenda.

Porém, a imaginação dos narradores necessita, senão de uma causa, pelo menos de um pretexto. Não se pode negar que existem polvos e calamares de grande envergadura, embora inferior à dos cetáceos. Aristóteles confirmou a existência de um calamar com três metros e dez centímetros. Os museus de Trieste e de Montpellier conservam polvos embalsamados que medem dois metros. Aliás, segundo os cálculos dos naturalistas, um desses animais com apenas dois metros de comprimento teria tentáculos de oito metros, o que chega para o transformar num monstro enorme.

— E ainda se pescam polvos assim? – perguntou o canadense.

— Se não se pescam, pelo menos são vistos pelos pescadores. Um dos meus amigos, o capitão Paul Bos, do Havre, afirmou várias vezes que tinha encontrado um desses monstros de tamanho colossal nos mares da Índia. Mas o fato mais surpreendente, e que não me permite continuar a negar a existência desses animais gigantescos, passou-se há alguns anos, em 1861.

— Como foi? – perguntou Ned Land.

— Em 1861, a nordeste de Tenerife, mais ou menos na latitude onde nos encontramos neste momento, a tripulação do navio Alecton avistou um monstruoso calamar que nadava naquelas águas. O comandante Bouger aproximou-se e atacou-o com arpões e balas, sem qualquer êxito, porque os arpões lhes trespassavam as carnes moles como uma geleia sem consistência. Após algumas tentativas infrutíferas, a tripulação conseguiu passar um nó corredio à volta do corpo do molusco. O nó deslizou até as barbatanas caudais e parou. Tentaram então içar o monstro para bordo, mas o seu peso era tal que, devido à tração da corda, se separou da cauda e desapareceu nas águas, sem ela.

— Aí está qualquer coisa concreta – disse Ned Land.

— Um fato indiscutível, meu caro Ned. Por isso foi proposto que se desse a esse polvo o nome de calamar de Bouger.

— Talvez medisse seis metros – disse Conselho, postado junto ao painel e examinando de novo a falésia.

— Precisamente – confirmei.

— A cabeça seria coroada por oito tentáculos que se agitavam na água como um ninho de serpentes? – continuou Conselho.

— Precisamente – tornei a confirmar.

— Os olhos, colocados à flor da pele, teriam um desenvolvimento considerável.

— Sim, Conselho.

– E a boca seria um verdadeiro bico de papagaio, mas um bico formidável.

– De fato, era assim – concordei.

– Pois bem, com licença do senhor – Conselho falou tranquilamente – senão é o calamar de Bouger, está ali pelo menos um dos seus irmãos disse e apontou para o mar.

Olhei para o meu criado e Ned Land correu para o painel.

– Que animal horrendo! – exclamou.

Olhei também e não pude reprimir um movimento de repulsa. Diante dos meus olhos, agitava-se um monstro horrível, digno de figurar nas lendas teratológicas.

Era um calamar de dimensões colossais, com oito metros de comprimento. Avançava com grande velocidade em direção ao Náutilus, que fixava com os seus enormes olhos verde-mar. Os seus oito braços, ou antes os seus oito pés, implantados na cabeça, o que valeu a esses animais o nome de cefalópodes, tinham um desenvolvimento duplo do corpo e contorciam-se como as cabeleiras das Fúrias. Viam-se distintamente as duzentas e cinquenta ventosas dispostas nas faces internas dos tentáculos, sob a forma de cápsulas semiesféricas. Por vezes as ventosas colavam-se aos vidros do painel. A boca do monstro, um bico córneo semelhante ao bico de papagaio, abria-se e fechava-se verticalmente. A língua, substância córnea, armada com várias fiadas de dentes agudos, saía trêmula daquela verdadeira guilhotina. Que fantasia da natureza! Um molusco com bico de ave! O corpo, fusiforme e bojudo no meio, formava uma massa carnuda que devia pesar de vinte a vinte e cinco mil quilos. A sua cor inconstante mudava com extrema rapidez, segundo a irritação do animal, passando sucessivamente do cinzento lívido ao castanho-amarelado.

O que estaria irritando o molusco? Certamente a presença do Náutilus, maior do que ele e sobre o qual os seus braços e dentes não tinham qualquer poder. E, no entanto, que monstros formidáveis são esses polvos, que vitalidade o Criador deu a eles, que vigor nos movimentos, uma vez que têm três corações.

O acaso nos tinha posto na presença do calamar e eu não queria perder a ocasião de estudar cuidadosamente aquele exemplar dos cefalópodes. Dominei o horror que me inspirava o seu aspecto e, pegando em um lápis, comecei a desenhá-lo.

– Talvez seja o mesmo do Alecton – disse Conselho.

– Não – respondeu o canadense. – O do Alecton havia perdido a cauda.

– Isso não seria uma razão – disse eu. – Os braços e a cauda desses animais renovam-se por regeneração. Em sete anos a cauda do calamar de Bouger teria tido tempo de crescer.

– De qualquer maneira, se não é este, talvez seja algum daqueles, acrescentou o meu criado.

De fato, outros polvos apareciam no painel a estibordo. Contei sete que faziam um cortejo ao Náutilus e cujos bicos se faziam ouvir quando batiam no casco do navio.

Continuei o meu trabalho. Os monstros mantinham-se nas nossas águas com tal precisão que pareciam imóveis e teria sido possível decalcá-los do vidro. Aliás, estávamos navegando a uma velocidade bem moderada. De repente, o Náutilus parou e toda a sua estrutura tremeu devido a um choque.

– Teríamos encalhado? – perguntei.

– Se foi o caso, safamo-nos – disse Ned Land – porque continuamos a flutuar.

Não havia dúvida de que o barco flutuava, mas não avançava. As pás da hélice já não se viravam nas águas. Passou um minuto e o capitão Nemo, seguido pelo imediato, entrou no salão.

Havia algum tempo que eu não o via. Pareceu-me taciturno. Sem falar, talvez sem nos ver, chegou junto ao painel, observou os polvos e disse algumas palavras ao imediato, que saiu.

Os painéis foram fechados e o teto se iluminou. Falei com o capitão, sem ligar para o jeito dele.

– Curiosa coleção de polvos – fingi o tom indiferente de um amador diante de um vidro de aquário.

– De fato, professor, e vamos combatê-los corpo a corpo.

Olhei o capitão julgando ter ouvido mal.

– Corpo a corpo? – perguntei.

– Sim. A hélice parou. Penso que as mandíbulas córneas de um desses calamares danificaram uma de suas pás. Isso nos impede de avançarmos.

– E o que vai fazer?

– Subir à superfície e exterminar toda essa bicharada.

– Tarefa difícil.

– De fato, ela não é fácil. As balas elétricas são impotentes contra suas carnes moles, onde não encontram resistência suficiente para rebentarem. Mas vamos atacá-los a machadadas.

– E às arpoadas – disse o canadense – se não recusar a minha ajuda.

– Aceito-a, mestre Land.

– Nós os acompanharemos – disse eu, seguindo o capitão Nemo que se dirigiu para a escada central.

Ali, uma dezena de homens, armados com machados de abordagem, estavam prontos para o ataque. Conselho e eu pegamos em dois machados e Ned Land num arpão.

O Náutilus tinha então subido à superfície das águas. Um dos marinheiros, colocado nos últimos degraus da escada, tirou as cavilhas do alçapão que saltou imediatamente com grande violência, evidentemente puxado pela ventosa de um tentáculo do polvo.

No mesmo instante, um desses longos braços deslizou como uma serpente pela abertura e vinte outros agitaram-se por cima dela. Com uma machadada o capitão cortou o formidável tentáculo, que rolou pela escada. No momento em que nos preparávamos para sair para a plataforma, dois outros braços, vibrando no ar, abateram-se sobre o marinheiro colocado à frente do capitão, elevando-o com uma violência irresistível.

O capitão Nemo soltou um grito e precipitou-se para o exterior. Nós corremos atrás dele.

Que cena! O infeliz, apanhado pelos tentáculos e preso nas ventosas, estava sendo agitado no ar ao capricho daquela enorme tromba. Agonizava, sufocava e gritava por socorro. Aquelas palavras pronunciadas em francês causaram-me profunda impressão. Enquanto eu viver, ouvirei aquele apelo desesperado.

O infeliz estava perdido. Quem conseguiria arrancá-lo ao poderoso abraço? Entretanto o capitão Nemo tinha-se precipitado sobre o polvo e, com mais uma machadada, havia-lhe cortado outro tentáculo. O imediato lutava com fúria contra outros monstros que subiam pelos flancos do Náutilus. A tripulação batia a golpes de machado, enquanto o canadense, Conselho e eu enterrávamos as nossas armas naquelas massas carnudas. Um violento cheiro de almíscar invadiu a atmosfera. Era horrível.

Por um instante julguei que o infeliz apanhado pelo polvo seria arrancado àquele terrível abraço, porque dos seus oito tentáculos o animal já só tinha um, que brandia a sua vítima como se fosse uma pena. Mas no momento em que o capitão e o imediato avançaram para ele, o monstro lançou uma coluna de líquido negro, segregado por uma bolsa situada no seu abdômen. Ficamos cegos. Quando a nuvem se dissipou, o calamar havia desaparecido e com ele o meu infeliz compatriota. Que fúria nos impeliu então contra aqueles monstros! Dez ou doze polvos tinham invadido a plataforma do barco. Rolávamos no meio daqueles braços de serpentes que tingiam a plataforma e as águas de tinta negra. Parecia que os viscosos tentáculos renasciam como as cabeças da hidra. O arpão de Ned Land, de cada golpe, mergulhava nos olhos dos calamares e vazava-os. Mas o meu audacioso companheiro foi de repente apanhado pelos tentáculos de um monstro.

O meu coração quase rebentou de emoção e terror. O formidável bico do calamar estava aberto para Ned Land. O infeliz ia ser partido em dois. Lancei-me em seu socorro, mas o capitão Nemo foi mais rápido do que eu. O seu machado desapareceu entre as duas enormes mandíbulas e, milagrosamente salvo, o canadense levantou-se e espetou o arpão todo até o triplo coração do polvo.

– Estava em dívida para com o senhor – disse o capitão.

Ned inclinou-se e ficou calado.

O combate tinha durado um quarto de hora. Os monstros vencidos, mutilados e moribundos, deixaram-nos finalmente e desapareceram nas águas.

O capitão Nemo, imóvel junto ao farol, olhava o mar que tinha engolido um dos seus companheiros, e grossas lágrimas rolaram-lhe pelas faces.

Capítulo 19

A corrente do Golfo

Nenhum de nós poderá jamais esquecer essa terrível cena. Eu a escrevi sob a pressão de uma violenta emoção. Depois li o relato a Conselho e Ned Land. Eles o acharam exato nos fatos, mas insuficiente nos efeitos. Para pintar semelhantes quadros, seria necessária a pena do mais ilustre dos nossos poetas, o autor de Travailleurs de la Mer.

Eu disse que o capitão Nemo chorava ao olhar as águas. A sua dor foi imensa. Era o segundo companheiro que ele perdia desde a nossa chegada a bordo. E que morte o homem tivera!

Aquele amigo esmagado, sufocado, despedaçado pelos poderosos tentáculos de um polvo, devorado pelas suas mandíbulas de ferro, não iria repousar com os companheiros nas pacíficas águas do cemitério de coral.

Para mim, no meio da luta, fora aquele grito de desespero que me cortara o coração. O pobre francês, esquecendo a sua língua convencional, recorrera à sua língua natal para um supremo grito de apelo! Entre a tripulação do Náutilus, associado de corpo e alma ao capitão Nemo, fugindo como ele do contato dos homens, eu tinha um compatriota. Seria o único a representar a França naquela misteriosa associação, evidentemente constituída por indivíduos de nacionalidades diferentes? Era ainda um dos problemas insolúveis que constantemente me assaltava o espírito.

O capitão Nemo entrou para o seu quarto e eu não o vi durante algum tempo. Como deveria estar triste, desesperado, indeciso, a julgar pelo navio de que era a alma e que recebia todas as suas atenções. O Náutilus deixara de ter uma direção determinada. Ia e vinha, flutuando como um cadáver à deriva. A hélice tinha sido reparada, mas ele quase não a usava. Navegava ao acaso. Não conseguia afastar-se do teatro da sua última luta, do mar que havia devorado um dos seus.

Passaram-se dez dias. Só no dia 1º de maio o Náutilus tomou decididamente a direção norte, depois de ter avistado as Lucaias, à entrada do Canal das Bahamas. Seguíamos então a corrente do maior rio marítimo, que tem as suas margens, os seus peixes e as suas temperaturas próprias: a corrente do Golfo.

É um rio que corre no meio do Atlântico, livremente, e cujas águas não se misturam com as do oceano. É um rio salgado, mais salgado do que o mar ambiente. O volume invariável das suas águas é mais considerável do que o de todos os rios do globo.

A verdadeira origem da corrente do Golfo, reconhecida pelo capitão Maury, o seu ponto de partida, fica situado no Golfo da Gasconha, onde as águas, ainda de fraca temperatura e cor, começam a se formar. Desce para o sul ao longo da África Equatorial, aquece as águas da zona tórrida, atravessa o Atlântico, atinge o Cabo de São Roque na costa brasileira e bifurca-se em dois ramos, um dos quais vai ainda saturar-se de moléculas quentes no Mar das Antilhas. Então, a corrente do Golfo, encarregada de restabelecer o equilíbrio entre as temperaturas e de misturar as águas dos trópicos com as águas boreais, começa o seu papel de moderador.

Aquecida ao máximo no Golfo do México, sobe para o norte ao longo da costa americana, avança até a Terra Nova, desvia-se sob a pressão da corrente fria do Estreito de Davis, retoma o caminho do oceano, seguindo sobre um dos grandes círculos do globo a linha loxodrômica, divide-se em dois braços no quadragésimo terceiro grau, um dos quais, ajudado pela monção do nordeste, regressa ao golfo da Gasconha, depois de ter aquecido as costas da Irlanda e da Noruega, ultrapassa Spitzberg, onde a sua temperatura desce a quatro graus, e vai formar o mar livre do polo.

Era neste rio do oceano que o submarino Náutilus navegava. A saída do Canal das Bahamas, setenta quilômetros ao largo e a trezentos e cinquenta metros de profundidade, a corrente do Golfo tem uma velocidade de cerca de oito quilômetros por hora. Esta rapidez decresce regularmente à medida em que avança para o norte, e é de desejar que esta regularidade se mantenha, porque se a sua velocidade e direção se modificarem, os climas europeus serão submetidos a perturbações cujas consequências são inteiramente imprevisíveis.

Por volta do meio-dia encontrava-me na plataforma com o meu criado. Dei-lhe a conhecer todas as particularidades da corente do golfo e, terminada a minha explicação, convidei-o a enfiar a mão na água.

Conselho obedeceu e ficou admirado de não sentir quer uma sensação de calor, quer de frio.

– Isso acontece porque a temperatura das águas dessa corrente, ao saírem do golfo do México, pouco difere da do corpo humano. Essa corrente é um vasto calorífero, que dá às costas da Europa o aspecto eternamente verdejante. E, a se acreditar em Maury, o calor desta corrente, totalmente utilizado, seria suficiente para manter em fusão um rio de ferro fundido tão grande como o Amazonas ou o Missouri. A corrente é tão distinta do mar ambiente que as suas águas comprimidas irrompem sobre o oceano, operando-se um desnivelamento entre elas e as águas frias. Escuras e muito ricas em matérias salinas, riscam com o seu azul puro as águas verdes que as cercam. E tal a nitidez da sua linha de demarcação que o Náutilus, perto das Carolinas, enquanto a hélice ainda agitava as águas do oceano, já o esporão cortava as águas da corrente.

Esta corrente arrastava todo um mundo de seres vivos. Os argonautas tão comuns no Mediterrâneo navegavam nele em grupos numerosos. Entre os cartilaginosos os mais notáveis eram as raias, cuja cauda muito solta formava quase um terço do corpo, e que pareciam enormes losangos com oito metros de comprimento; depois, pequenos esqualos com um metro de comprimento, de cabeça grande, focinho curto e arredondado, dentes pontiagudos dispostos em várias fileiras e cujo corpo parecia coberto de escamas.

Entre os peixes ósseos, vi labros cinzentos, comuns desses mares; spares sinagros, cuja íris brilhava como uma chama; scinès, com um metro de comprimento e grandes goelas cheias de pequenos dentes; centronotos negros, ; corifemos azuis, ornados de ouro e prata; peixes papagaios, verdadeiros arco-íris do oceano e que podem rivalizar em cores com as mais belas aves dos trópicos; blênios de cabeça triangular; rombos azulados, desprovidos de escamas; batrachoides, cobertos com uma transversal amarela parecendo um T grego; cardumes de gobiões salpicados de manchas amarelas; e diversas espécies de salmões.

Acrescentarei que durante a noite, as águas fosforescentes da corrente do Golfo rivalizaram com o brilho elétrico do nosso farol, sobretudo nos momentos de tempestade que nos ameaçavam frequentemente. No dia 8 de maio estávamos ainda à vista do Cabo Hatteras, ao largo da Carolina do Norte. A largura da corrente é ali de cento e vinte quilômetros e a sua profundidade, de duzentos e dez metros.

O Náutilus continuava a errar à aventura. Toda a vigilância parecia ter sido abandonada a bordo. Pensei que naquelas condições uma evasão poderia ter êxito. As costas habitadas ofereciam fáceis refúgios. O mar era constantemente sulcado por numerosos vapores que fazem serviço entre Nova York ou Boston e o golfo do México, e noite e dia percorrem com suas pequenas escunas carregadas a costa americana. Havia assim boas possibilidades de sermos recolhidos. Era, portanto, uma ocasião favorável, apesar de cinquenta quilômetros que separavam o Náutilus das costas mais próximas.

No entanto, uma circunstância inesperada veio contrariar completamente os planos do canadense. O tempo estava ruim. Atravessávamos as regiões onde as tempestades são frequentes, na zona das trombas d'água e dos ciclones, precisamente originados pela corrente do Golfo. Enfrentar um mar muitas vezes agitado num frágil bote era correr para uma morte certa. O próprio Ned Land concordou comigo. Assim, refreou-se, tomado de uma furiosa nostalgia.

– Professor – disse-me o canadense – isto tem que acabar. O seu capitão afasta-se das terras e se dirige para o norte. Mas eu fiquei farto do polo Sul e não seguirei com ele para o polo Norte.

– Que havemos de fazer, se é impossível fugir agora?

– Volto à minha ideia de que temos de falar com o capitão. Não disse nada quando estávamos nos mares do seu país, mas eu quero falar, agora que estamos nas águas do meu. Quando eu penso que dentro de alguns dias o Náutilus se encontrará ao largo da Nova Escócia e que ali, em direção à Terra Nova se abre uma grande baía, que deságua no São Lourenço, que é o meu rio, o rio de Quebec, a minha terra natal, quando eu penso nisso, a ira me sobe à cabeça e meus cabelos se eriçam. Prefiro atirar-me na água a continuar aqui. Isto me sufoca!

Era evidente que o canadense havia chegado ao fim da paciência. A sua natureza vigorosa não podia acomodar-se àquela clausura prolongada. A sua fisionomia alterava-se de dia para dia e o seu caráter tornava-se cada vez mais sombrio. Tinham-se passado quase sete meses sem que tivéssemos notícias da terra. Além disso, o isolamento do capitão Nemo, a modificação do seu humor, sobretudo depois do combate com os polvos, a sua taciturnidade, tudo me fazia ver as coisas de modo diferente. Eu já não mais sentia o entusiasmo dos primeiros dias. Era preciso ser um flamengo como Conselho para aceitar aquela situação, no meio reservado aos cetáceos e outros habitantes do mar. Se o pobre rapaz em vez de pulmões tivesse guelras, creio que seria um peixe de grande classe.

– Então, professor? – insistiu Ned Land numa decisão minha, sobre a sua proposta de irmos falar ao capitão.

– Você quer que eu pergunte ao capitão Nemo quais são as intenções dele a nosso respeito?

– Quero. Apesar de nós já sabermos quais são, ditas por ele mesmo?

– Sim. Desejo ouvi-las uma última vez. Fale apenas no meu nome se isso lhe parecer melhor.

– Mas raramente o vejo agora.

– Mais uma razão para ir vê-lo.

– Vou fazer a ele a pergunta que você quer, Ned.

– Quando?

– Quando encontrá-lo.

– O senhor quer que eu mesmo fale com ele?

– Não, deixe-me tratar do assunto amanhã...

– Hoje – disse Ned Land.

– Seja. Hoje falo com ele – prometi ao canadense. Eu não podia deixar que ele fosse pessoalmente conversar com o capitão sobre um assunto tão melindroso.

Fiquei só. Decidida a questão, resolvi acabar com ela imediatamente. Gosto mais das coisas feitas do que das que estão por fazer. Entrei no meu quarto e ouvi passos no do capitão Nemo. Não podia deixar passar aquela ocasião para falar com ele. Bati na porta e ele não atendeu. Bati uma segunda vez e rodei o trinco. A porta se abriu. Penetrei no quarto dele. O capitão estava curvado sobre a mesa de trabalho e não tinha me ouvido. Resolvido a não deixar o quarto sem falar com ele, me aproximei. Ele levantou a cabeça bruscamente, franziu o sobrolho e me perguntou num tom bastante rude:

– O senhor aqui! Que deseja?

– Falar-lhe, capitão.

– Não vê que estou ocupado, que estou trabalhando? Quero ter para mim a liberdade que lhe dou de não ser incomodado.

A recepção era pouco encorajadora, mas eu estava decidido a ouvir tudo, para poder falar depois tudo o que desejasse.

– Tenho que falar de um assunto urgente.

– Que assunto? – notei um tom de ironia na voz dele. – Fez alguma descoberta que me escapou? O mar lhe revelou mais algum dos seus grandes segredos?

Estávamos muito longe do assunto que me interessava. Antes que eu pudesse responder às perguntas dele, o capitão me mostrou um manuscrito aberto sobre a sua mesa e me disse num tom mais grave:

– Aqui tem, professor, um manuscrito em várias línguas. Contém o resumo dos meus estudos do mar e, se Deus quiser, não morrerá comigo. Este manuscrito, assinado por mim e completado com a história de minha vida, será fechado dentro de um pequeno aparelho insubmergível. O último sobrevivente a bordo do Náutilus jogará ao mar esse aparelho que irá para onde as águas o levarem.

A sua história escrita por ele mesmo! A assinatura do manuscrito deveria ser com o seu nome verdadeiro! O seu segredo seria alguma vez desvendado? Porém, naquele momento, a comunicação dele só serviu para me dar ensejo de falar do meu assunto.

– Capitão, compreendo o motivo pelo qual vai agir assim. Os resultados de seus estudos não podem desaparecer. Mas o meio que vai utilizar para transmiti-los aos homens que lucrarão com eles parece-me primitivo. Quem sabe para onde os ventos conduzirão o aparelho e em que mãos ele irá cair? Não haverá um meio melhor? Talvez o senhor mesmo ou um dos seus...

– Nunca! – ele cortou energicamente a minha frase.

– Mas eu e os meus companheiros estamos dispostos a guardar o manuscrito, se o senhor nos der a liberdade.

– A liberdade! – levantou-se ele, repetindo a palavra.

– Sim, capitão. Foi sobre esse assunto que vim lhe falar. Há sete meses que estamos a bordo e eu agora lhe pergunto, no meu nome e nos nomes de meus companheiros, se tenciona manter-nos presos aqui por muito mais tempo.

– Sr. Aronnax, a minha resposta é a mesma que o senhor ouviu há sete meses: quem entra no Náutilus nunca mais sairá vivo dele.

– É a escravidão que nos impõe?

– Dê-lhe o nome que quiser.

– Em toda parte o escravo conserva o direito de recuperar a liberdade! Quaisquer que sejam os meios que se lhe ofereçam, pode julgá-los bons.

– Quem está lhes negando esse direito? – perguntou-me ele. – Exigi dos senhores algum juramento?

Ele me olhava de braços cruzados.

– Capitão Nemo. Voltar uma segunda vez à questão, não seria do seu e nem do meu agrado. Mas uma vez que ela foi levantada, quero discuti-la até uma solução final. Repito-lhe que não se trata apenas da minha pessoa. Para mim o estudo é um refúgio, uma diversão suficiente, um passatempo, uma paixão que consegue me fazer esquecer de tudo. Como o senhor, sou um homem para viver ignorado, obscuro, na frágil esperança de legar um dia ao futuro os resultados do meu trabalho, através de um aparelho hipotético confiado à água e aos ventos. Numa palavra, eu posso admirar o senhor, posso segui-lo com prazer num papel que compreendo sob certos aspectos, mas há ainda alguns pontos da sua vida que me fazem antevê-la cheia de complicações e mistérios, dos quais eu e meus companheiros não participamos. E mesmo quando os nossos corações bateram por sua causa, comovidos por algumas das dores que o atingiram ou impressionados pelos seus atos de gênio e coragem, tivemos de nos reprimir e não manifestar o testemunho de nossa simpatia, que faz nascer a contemplação do que é belo, quer venha do amigo ou do inimigo. Pois bem. É esse sentimento de estranheza a tudo que o toca que faz da nossa situação algo de inaceitável, de impossível até para ruim, quanto mais para Ned Land. Qualquer homem, só por ser homem, merece que pensem nele. Já pensou o que o amor pela liberdade, o ódio pela escravatura, podem fazer nascer de planos de vingança numa natureza como a do canadense? O que ele podia pensar, tentar?

Calei-me. Ele me olhava absolutamente impassível.

– Ned Land pode pensar, pode tentar tudo o que quiser. Que me importa! Não fui eu que o procurei. Não é por meu prazer que o tenho a bordo. Quanto ao senhor, é daqueles que conseguem compreender tudo, até o silêncio. Mais nada tenho a dizer, professor. Que a primeira vez que veio me falar desse assunto seja também a última, porque da próxima nem sequer o escutarei.

Retirei-me. A partir daquele dia a nossa situação tornou-se pior. Contei aos meus companheiros toda a conversa que tivera com o capitão.

– Sabemos agora – disse Ned Land – que nada temos a esperar desse homem. O Náutilus aproxima-se de Long Island. Fugiremos, faça o tempo que fizer.

O céu tornava-se cada vez mais ameaçador, manifestando sinais de tempestade. A atmosfera tornava-se esbranquiçada e leitosa. Aos cirros de feixes soltos sucediam-se no horizonte camadas de nimbos e cúmulos. Outras nuvens baixas desapareciam rapidamente. O mar engrossava e a ondulação aumentava. As aves desapareciam, com exceção dos petréis, amigos das tempestades. O barômetro baixava sensivelmente e indicava a existência no ar de grande tensão de vapores.

A tempestade rebentou no dia 18 de maio, precisamente quando o Náutilus se encontrava ao largo de Long Island, a alguns quilômetros de Nova York. Posso descrever essa luta dos elementos porque, em vez de lhe fugir para as profundezas do mar, o capitão Nemo, por um inexplicável capricho, preferiu enfrentar a tempestade à superfície. O vento soprava de sudoeste, primeiro com uma velocidade de quinze metros por segundo e depois, cerca de oito horas da noite, com uma velocidade de vinte e cinco metros.

O capitão Nemo, inabalável sob as rajadas, tinha tomado lugar na plataforma, amarrado pela cintura para resistir melhor às monstruosas vagas. Também subi à plataforma e, igualmente amarrado, partilhei a minha admiração entre a tempestade e aquele homem incomparável que a enfrentava.

O mar encapelado era varrido por grandes massas de nuvens que batiam nas ondas. Eu não via nenhuma dessas ondas intermediárias que se formam no fundo das grandes cavidades. Nada, a não ser longas ondulações fuliginosas, cuja crista não rebenta, de tal modo são compactas. A sua altura aumentava. Excitavam-se mutuamente. O Náutilus, ora de lado, ora reto como um mastro, rolava e balouçava terrivelmente.

Por volta das cinco horas, caiu uma chuva torrencial que não acalmou nem o vento e nem o mar. A tempestade desencadeou-se com uma velocidade de quarenta e cinco metros por segundo, ou seja, quase duzentos quilômetros por hora. O seu poder seria suficiente para arrancar casas, para rebentar grades de ferro e deslocar canhões. E no entanto, o Náutilus, no meio da tormenta, justificava bem as palavras do seu sábio construtor: "Não há casco bem construído que não possa desafiar o mar".

Ele não era uma rocha resistente que as ondas teriam demolido. Era um fuso de aço, obediente e móvel, sem mastreação, que desafiava a fúria da natureza.

Entretanto, eu examinava atentamente as vagas que mediam até quinze metros de altura por um comprimento de cento e trinta a cento e setenta metros, sendo a sua velocidade de propagação de quinze metros por segundo. Metade da do vento. O seu volume e potência cresciam com a profundidade das águas. Compreendi então o papel das ondas que aprisionam o ar nos seus flancos e o levam para o fundo dos mares aos quais dão vida, dando-lhes oxigênio. A sua força de pressão, segundo se calcula, pode elevar-se até três mil quilos por metro quadrado da superfície que contra-atacam. Foram ondas como aquelas que, nas Hébridas, deslocaram um bloco que pesava quarenta toneladas. Foram elas que na tempestade de 23 de dezembro de 1864, depois de terem derrubado uma parte da cidade de Edo, no Japão, foram, com uma velocidade de setecentos quilômetros por hora, assolar no mesmo dia as costas da América do Norte.

A intensidade da tempestade cresceu com a noite. O barômetro, como em 1860, na ilha da Reunião, durante um ciclone, desceu a setecentos e dez milímetros. Ao fim do dia vi passar no horizonte um grande navio que lutava com muito esforço, capeando a pouco vapor para se manter sobre as vagas. Devia ser um dos vapores das linhas de Nova York a Liverpool ou ao Havre. Não tardou a desaparecer nas sombras da noite.

Às dez horas o céu estava em fogo. A atmosfera foi cortada por raios violentos. Eu não conseguia suportar aquele brilho, enquanto o capitão Nemo, olhando-os bem de frente, parecia aspirar neles a alma da tempestade. Um ruído terrível enchia os ares, ruído complexo, feito dos gemidos das ondas esmagadas, dos uivos do vento e dos trovões. O vento soprava de todos os pontos do horizonte e o ciclone, partindo do leste, chegava ali, passando pelo norte, o oeste e o sul, no sentido inverso das tempestades giratórias do hemisfério austral.

Ah! A corrente do Golfo justificava bem o nome de rainha das tempestades. Era ela que criava esses terríveis ciclones devido à diferença de temperatura das camadas de ar sobrepostas às suas correntes.

Uma bateria de fogos veio depois da chuva. As gotas de água transformavam-se em cristais fulminantes. Dir-se-ia que o capitão Nemo, procurando uma morte digna dele, tentava ser fulminado. Num terrível movimento o Náutilus ergueu nos ares o seu esporão de ferro, como a haste de um para-raios, e eu vi saírem faíscas.

Completamente esgotado, rastejei até o alçapão e fui para o interior do barco. A tempestade atingia então a sua máxima intensidade. Era impossível ficar em pé dentro do Náutilus.

O capitão Nemo entrou por volta da meia-noite. Ouvi os reservatórios encherem-se de água e pouco a pouco o submarino submergiu. Através dos painéis do salão vi grandes peixes assustados, que passavam como fantasmas nas águas em fogo. Alguns eu vi sendo fulminados e tive medo.

O Náutilus continuava a descer. Pensei que encontraria a calma a uma profundidade de quinze metros. Mas não encontrou. As camadas superiores estavam demasiado agitadas. Foi preciso que ele fosse procurar repouso a cinquenta metros nas entranhas do mar.

A essa profundidade, que silêncio, que tranquilidade, que lugar pacífico! Quem diria que uma terrível tempestade rugia à superfície daquele mesmo oceano?

Capítulo 20
A 47°24' de latitude e 17°28' de longitude

Em consequência dessa tempestade, tínhamos sido arrastados para leste e todas as nossas esperanças de uma evasão para a região de Nova York ou de São Lourenço se desvaneceram. O pobre Ned, desesperado, isolou-se como o capitão Nemo. Eu e Conselho nunca mais nos separamos. Precisávamos de nos amparar mutuamente. Aos poucos o barco foi pendendo para o nordeste. Durante alguns dias errou ora à superfície ora submerso, muitas vezes perdido no meio das brumas tão temidas, pelos navegadores. Elas são devidas principalmente à fusão dos gelos, que provocam grande umidade na atmosfera. Quantos navios perdidos nestas paragens, quando tentavam avistar os faróis incertos da costa! Quantos sinistros devidos a esses nevoeiros cerrados! Quantos choques com escolhos, cuja ressaca é abafada pelo barulho do vento! Quantas colisões entre navios, apesar dos faróis de sinalização, apesar dos avisos das suas sirenas e sinos de alarme! Por isso, o fundo desses mares oferecia o aspecto de um campo de batalha onde ainda jaziam todos esses vencidos do oceano; uns velhos e já em ruínas, outros recentes e refletindo os raios do nosso farol nas ferragens e quilhas de cobre. Entre eles, quantos navios completamente perdidos, com as suas tripulações, o seu mundo de emigrantes, naqueles pontos perigosos assinalados nas estatísticas. O Cabo Race, a ilha Saint-Paul, o estreito de BelleIle, o estuário do São Lourenço! E desde há poucos anos, quantas vítimas fornecidas aos fúnebres anais pelas linhas da Royal-Mail, da Inmann, de Montreal: o Solway, o Isis, o Paramatta, o Hungarian, o Canadian, o Anglo-Saxon, o Humboldt, o United States, todos afundados a pique; o Artic, o Lyonnais, afundados por abalroamentos; e o President, o Pacific, o City-of-Glasgow desaparecidos por causas desconhecidas, sombrios destroços no meio dos quais o Náutilus navegava como se passasse os mortos em revista.

Em 15 de maio, encontrávamo-nos na extremidade meridional do banco da Terra Nova, o qual é um produto de aluviões marinhos, um amontoado considerável de detritos orgânicos, transportados quer do Equador pela corrente do Golfo, quer do polo boreal pela contracorrente de água fria que passa ao longo da costa americana. Também ali se amontoam os blocos errantes produzidos pelo degelo. A profundidade das águas não é considerável no banco da Terra Nova, apenas algumas centenas de braças. Mas, para o sul, abre-se subitamente uma depressão profunda, um buraco com três mil metros, onde se alarga a corrente, espalhando as suas águas, perdendo velocidade e temperatura, mas transformando-se num mar.

Na região da Terra Nova encontramos os cardumes de bacalhaus. Pode-se dizer que os bacalhaus são peixes de uma montanha submarina. Quando o Náutilus abriu passagem através das suas falanges cerradas, Conselho não pôde deixar de observar:

– Mas isto são bacalhaus? Eu pensava que eram chatos como os linguados. São até bem redondinhos!

– Ingênuo! – exclamei. – Os bacalhaus só são chatos no merceeiro, que os vende abertos e secos. Mas na água são peixes fusiformes como os robalos e perfeitamente aptos a nadar.

– Acredito – respondeu Conselho. – Que nuvem deles! Que formigueiro!

– Sim, meu amigo. E muitos mais existiriam se não fossem os seus inimigos: os rainúnculos e os homens. Sabe quantos ovos se contaram numa única fêmea?

– Talvez uns quinhentos mil – respondeu Conselho.

– Onze milhões, meu amigo.

– Onze milhões! Só acreditava se os tivesse contado.

– Pode contá-los, mas seria mais rápido se me acreditasse. Aliás, é aos milhões que franceses, ingleses, americanos, dinamarqueses e noruegueses pescam os bacalhaus. São consumidos em quantidades prodigiosas, e sem a surpreendente fecundidade desses peixes, os mares não tardariam a ficar despovoados da espécie. Só na Inglaterra e na América, cinco mil navios equipados com setenta e cinco mil marinheiros dedicam-se à pesca do bacalhau. Cada navio pesca uma média de quarenta mil, o que perfaz um total de vinte e cinco milhões. Nas costas da Noruega passa-se o mesmo.

– Bem, acredito no senhor. Não os contarei.

– O quê?

– Os onze milhões de ovos. Porém tenho uma observação a fazer.

– Qual?

– Se todos os ovos vingassem, chegariam quatro bacalhaus para alimentar a Inglaterra, a América e a Noruega:

Enquanto percorríamos os fundos do banco da Terra Nova, vi perfeitamente as longas linhas armadas com duzentas iscas que cada barco lança às dezenas. Cada linha, arrastada por uma extremidade por meio de um pequeno arpéu, era retida à superfície por um arinque fixo a uma boia de cortiça. O Náutilus foi obrigado a navegar habilmente no meio daquela rede submarina.

Aliás, ele não se demorou naquelas paragens frequentadas. Subiu até o quadragésimo segundo grau de latitude, zona de São João da Terra Nova e de Heart's Content, onde termina o Cabo transatlântico. O Náutilus, em vez de continuar a sua rota para norte, tomou a direção de leste, como se quisesse seguir o planalto sobre o qual repousava o cabo telegráfico, e cujas sondagens deram o relevo com extrema exatidão.

Em 17 de maio, a cerca de oitocentos quilômetros de Heart's Content e a dois mil e oitocentos metros de profundidade, avistei o cabo jazendo no solo. Conselho, que eu não tinha prevenido, tomou-o por uma gigantesca serpente do mar e preparava-se para a classificar, segundo o seu método habitual. Desenganei o meu digno companheiro e, para o consolar do desgosto, informei-o de algumas particularidades da colocação do cabo.

O primeiro cabo foi estabelecido nos anos de 1857 e 1858, mas depois de ter transmitido cerca de quatrocentos telegramas, deixou de funcionar. Em 1863, os engenheiros construíram novo cabo, medindo três mil e quatrocentos quilómetros e pesando quatro mil e quinhentas toneladas, o qual foi embarcado no Great-Eastern. Esta tentativa falhou mais uma vez.

Ora, a 25 de maio, o Náutilus, submerso a três mil oitocentos e trinta e seis metros de profundidade, encontrava-se precisamente no local onde se tinha produzido a quebra que arruinou o empreendimento. Foi a mil quilómetros da costa da Irlanda. Às duas horas da tarde, notou-se que as comunicações com a Europa se tinham interrompido. Os eletricistas de bordo resolveram cortar o cabo antes de o repescar e, às onze horas da noite, tinham recuperado a parte avariada. Fizeram uma junta e uma costura e atiraram o cabo de novo à água. Porém, alguns dias mais tarde, rompeu-se de novo e não pôde ser recuperado das profundezas do oceano.

Os americanos não se desencorajaram. O audacioso Cyrus Field, promotor da empresa e que nela arriscava toda a sua fortuna, fez uma nova subscrição, que foi imediatamente coberta. Um outro cabo foi então estabelecido em melhores condições. O feixe de fios condutores isolados num invólucro de guta-percha estava protegido por uma cobertura de matérias têxteis contidas dentro de uma armadura metálica. O Great-Eastern fez-se novamente ao mar a 13 de julho de 1866. A operação decorreu bem, embora tivesse acontecido um incidente. Várias vezes, ao desenrolarem o cabo, os eletricistas verificaram que tinham sido feitos buracos nele com intenção de lhe deteriorar o interior. O capitão Anderson, os oficiais e os engenheiros reuniram-se e deliberaram o seguinte: quem quer que fosse apanhado a praticar aquele ato criminoso seria lançado ao mar sem qualquer julgamento. Depois disso, não se repetiu tal incidente.

Em 23 de julho, o Great-Eastern estava apenas a oitocentos quilómetros da Terra Nova, quando lhe telegrafaram da Irlanda a notícia do armistício concluído entre a Prússia e a Áustria, depois de Sadowa. Dia 27, avistava no meio das brumas o porto de Heart's Content. A empresa tinha sido concluída com êxito e, no seu primeiro telegrama, a jovem América dirigia à velha Europa estas sábias palavras, raramente compreendidas: "Glória a Deus nas alturas e paz na Terra aos homens de boa vontade".

Não se esperava conservar o cabo elétrico no seu estado primitivo, tal como tinha saído da fábrica. Mas a longa serpente, coberta de conchas, estava incrustada no fundo pedregoso que a protegia contra os moluscos perfurantes. Repousava tranquilamente, ao abrigo dos movimentos do mar, e sob uma pressão favorável à transmissão da corrente elétrica que passa da América à Europa em trinta e dois centésimos de segundo. A duração deste cabo será, sem dúvida, infinita, porque se verificou que o invólucro de guta-percha melhora com a permanência na água.

Aliás, nesse planalto escolhido com tanta sorte, o cabo nunca imergiu a profundidades tais que se pudesse romper. O Náutilus seguiu-o até o seu fundo mais baixo, situado a quatro mil quatrocentos e trinta metros, onde repousa sem qualquer esforço de tração. Depois, nos aproximamos do local onde tinha ocorrido o acidente de 1863.

O fundo oceânico formava então um enorme vale de cento e vinte quilômetros, onde se poderia ter colocado o monte Branco sem que o seu cume ultrapassasse a superfície das águas. O vale está fechado a leste por uma muralha de dois mil metros. Chegamos a esse ponto no dia 28 de maio e o Náutilus estava a cerca de cento e cinquenta quilômetros da Irlanda.

Iria o capitão Nemo subir para aportar às Ilhas Britânicas? Não. Para minha grande surpresa, tornou a descer para o sul, voltando aos mares europeus. Ao contornar a ilha Esmeralda, avistei por instantes o cabo Clear e o farol de Fastenet, que guia os milhares de navios saídos de Glasgow e de Liverpool.

Uma importante questão surgiu então no meu espírito. Ousaria o Náutilus atravessar o canal da Mancha? Ned Land, que reaparecera desde que navegávamos junto à costa, não parava de me fazer perguntas. Como responder-lhe? O capitão Nemo permanecia invisível. Depois de ter deixado o canadense avistar as terras da América, iria fazer o mesmo com as terras da França?

Entretanto, o Náutilus continuava a sua rota para o sul. Dia 30 de maio, passava à vista de Land's End, entre a ponta sul da Inglaterra e as Sorlingas, que deixou para estibordo. Se queria entrar na Mancha, teria de virar decididamente para leste e não o fez.

Durante todo o dia de 31 de maio, o Náutilus descreveu no mar uma série de círculos que me intrigaram bastante. Parecia procurar um local difícil de encontrar. Ao meio-dia, foi o próprio capitão Nemo quem fez o ponto. Não me dirigiu a palavra. Pareceu-me mais sombrio do que nunca. Que é que o entristecia assim? Seria a proximidade das costas europeias? Sentiria saudades da pátria abandonada? Ou então seriam remorsos, mágoas? Esse pensamento ocupou-me durante bastante tempo e tive como que um pressentimento de que o acaso em breve trairia os segredos do capitão.

No dia seguinte, 1º de junho, o Náutilus manteve-se na mesma região. Era evidente que procurava reconhecer um ponto exato do oceano. O capitão Nemo foi medir a altura do sol, como na véspera. O mar estava belo e o céu puro. A doze quilômetros para leste, um grande navio a vapor desenhava-se na linha do horizonte. Não tinha qualquer bandeira içada no mastro.

O capitão Nemo, alguns minutos antes do sol passar o meridiano, pegou no sextante e observou com extrema atenção. A calma absoluta das águas facilitava essa operação. O Náutilus, imóvel, não acusava a ondulação. Encontrava-me na plataforma, quando, terminada a observação, o capitão Nemo pronunciou:

– É aqui!

Depois desceu pelo alçapão. Teria visto o navio, que modificara a direção e parecia dirigir-se para nós? Eu não sabia.

Voltei ao salão. O alçapão foi fechado e ouvi o ruído da água entrar nos reservatórios. O Náutilus começou a mergulhar, seguindo uma linha vertical, porque a sua hélice, parada, não lhe comunicava qualquer movimento.

Minutos mais tarde, parava a uma profundidade de oitocentos e trinta e três metros e repousava no solo. O teto luminoso do salão apagou-se e os painéis se abriram. Através dos vidros vi o mar intensamente iluminado pelos raios do farol numa distância de um quilômetro.

Olhei para bombordo e não vi nada a não ser a imensidão das águas tranquilas. Para estibordo, no fundo, via-se uma grande saliência, que me chamou a atenção. Dir-se-ia ruínas soterradas sob uma camada de conchas esbranquiçadas, como se fosse um manto de neve. Ao examinar atentamente aquela massa, julguei reconhecer as formas de um navio, sem mastros, que devia ter afundado a proa. O sinistro parecia datar de uma época bem antiga pois os destroços estavam cobertos de calcário. Que navio seria aquele? Por que iria o Náutilus visitar seu túmulo? O seu naufrágio não teria sido de origem natural?

Não sabia o que pensar, quando ouvi o capitão dizer com voz lenta:

– Outrora, esse navio chamava-se o Marselhês. Estava armado com setenta e quatro canhões e foi lançado à água em 1762. Em 1778, a 13 de outubro, comandado por La Poype-Vertrieux, batia-se corajosamente contra o Preston. Em 1779, dia 4 de julho, assistia, com a esquadra do almirante D'Estaing, à tomada de Granada. Em 1781, em 5 de setembro, tomava parte no combate do Conde Grasse na baía de Chesapeak. Em 1794, a República francesa mudou seu nome. Em 16 de abril do mesmo ano, juntava-se em Brest, à esquadra de VillaretJoyeuse, encarregada de escoltar um comboio de trigo que vinha da América, sob o comando do almirante Van Stabel. A 11 e 12 do *prairial*, ano II, esta esquadra encontrava-se com navios ingleses.

Senhor professor, hoje é o dia 13 do *prairial*, 1º de junho de 1868. Há precisamente setenta e, quatro anos, neste local, a 47° 24' de latitude e 17° 28' de longitude, este navio, após um combate heroico, sem três mastros, água nos paióis e um terço da tripulação fora de combate, preferiu afundar-se com os seus trezentos e cinquenta e seis marinheiros a render-se. Hasteando o seu pavilhão à popa, desapareceu nas águas ao grito de: "Viva a República!"

— O Vingador! – exclamei.

– Sim, senhor professor. O Vingador! Um lindo nome! – murmurou o capitão Nemo, cruzando os braços.

Capítulo 21

Hecatombe

Aquele jeito de falar, o imprevisto da cena, a história do navio patriota, a emoção com que a estranha personagem tinha pronunciado o nome Vingador, cujo significado não me podia escapar, tudo isso se reuniu para preocupar extremamente o meu espírito. O meu olhar nunca mais deixou o capitão, que de mãos estendidas para o mar, observava com olhar ardente os gloriosos destroços. Talvez nunca che-

gasse a saber quem ele era, de onde vinha, para onde ia, mas via cada vez mais o homem separar-se do sábio. Não era uma misantropia comum que tinha encerrado dentro do Náutilus o capitão Nemo e os seus companheiros, mas um ódio monstruoso ou sublime que o tempo não podia enfraquecer.

Esse ódio procuraria ainda vinganças? O futuro em breve me diria. Entretanto, o Náutilus subia lentamente à superfície do mar e vi desaparecer pouco a pouco as formas confusas do Vingador. Um ligeiro balanço indicou-me que flutuávamos à superfície. Ouviu-se então uma detonação surda. Olhei o capitão, que não se mexeu.

– Capitão?

Deixei-o e subi à plataforma, onde Conselho e Ned já se encontravam.

– De onde veio a detonação? – perguntei.

– Foi um tiro de canhão – respondeu Ned Land.

Olhei na direção do navio que tinha avistado. Tinha se aproximado do Náutilus e via-se que forçava o vapor. Separavam-no de nós quase dez quilômetros.

– Que navio é aquele, Ned?

– Pelo seu aparelho e pela altura dos mastros, parece-me um navio de guerra. Ah, se ele pudesse acabar com esse maldito Náutilus!

– Meu caro Ned – respondeu Conselho. – Que pode ele fazer ao Náutilus? Atacá-lo debaixo d'água? Bombardeá-lo no fundo dos mares?

– Diga-me Ned, consegue reconhecer a nacionalidade do navio? O canadense franziu o sobrolho, baixou as pálpebras, fixou o navio por instantes utilizando todo o poder da sua visão.

– Não, senhor – respondeu. – Não sei reconhecer a que nação pertence. Não tem a bandeira içada. Mas posso confirmar que se trata de um navio de guerra, porque uma longa flâmula se desenrola na extremidade do mastro grande.

Durante um quarto de hora, continuamos a observar o navio, que se dirigia para nós. No entanto, não podia admitir que tivesse reconhecido o Náutilus àquela distância e muito menos ainda que soubesse que era um engenho submarino.

Dali a pouco, o canadense anunciou que o navio era um grande vaso de guerra, com esporão. Um couraçado com duas cobertas. Um espesso fumo negro saía de suas duas chaminés. As veias, amainadas, confundiam-se com a linha das vergas. Não trazia pavilhão e a distância não deixava ainda distinguir as cores da flâmula que flutuava como uma fita estreita no cimo do seu mastro. Nós o olhávamos avançar rapidamente para o Náutilus. Se o capitão Nemo o deixasse aproximar, teríamos a nossa oportunidade de fuga.

– Professor – disse-me Ned Land – se o navio passar por nós, mesmo a um quilômetro e meio de distância, atiro-me ao mar e peço-lhe que faça o mesmo.

Não respondi à proposta dele e continuei a observar o couraçado que se tornava cada vez maior. Quer fosse inglês, francês, americano ou russo, sem dúvida que nos acolheria, se o conseguíssemos alcançar.

– Lembre-se, senhor – disse-me então Conselho – que tenho muita prática de natação. Pode contar comigo para o rebocar até o navio! – insistiu ele em sua promessa de ajuda.

Eu ia responder, quando um vapor branco saiu da proa do navio de guerra. No mesmo instante as águas agitadas pela queda de um corpo pesado salpicaram a ré do Náutilus. Logo a seguir ouvi a detonação.

– Como? Disparam contra nós? – estranhei.

– Aí, valentes! – gritou o canadense.

– Deveriam tomar-nos por náufragos agarrados a um destroço! Entretanto as balas multiplicavam-se à nossa volta. O couraçado encontrava-se a quase cinco quilômetros de distância. Ned Land, muito emocionado, me disse que deveríamos fazer algum sinal para o navio atacante. Sem que eu pudesse impedi-lo, tirou o lenço e começou a acenar com ele.

Mal tinha feito o primeiro gesto, uma mão de ferro derrubou-o.

– Miserável! – gritou o capitão. – Quer ser pregado no esporão do Náutilus? Quer que eu faça isso com você, antes de destruir aquele navio que está me atacando?

O capitão Nemo, terrível de se ouvir, era ainda mais terrível de se ver. Com o rosto transtornado pela cólera, ele não falava. Rugia. Com o corpo inclinado para a frente, apertava com a mão o ombro do canadense como se fosse esmigalhá-lo. Depois, abandonando-o, virou-se para o navio de guerra, cujas; balas continuavam a cair à volta dele e gritou.

– Sabe quem eu sou, navio de uma nação maldita? Não precisarei dever as suas cores para saber a que país pertence! Olhe! Vou lhe mostrar as minhas cores!

Acabou de falar e desfraldou na popa da plataforma um pavilhão negro, semelhante ao que tinha colocado no polo Sul. Depois dirigiu-se a mim e falou apressado:

– Desça, desça com os seus companheiros!

– Vai atacar aquele navio, capitão?

– Vou afundá-lo!

– O senhor não fará tal coisa!

– Farei – respondeu-me friamente. – Não se arrogue o direito de me julgar, professor! A fatalidade lhe mostra o que não deveria ver. Fui atacado e minha resposta será terrível. Agora desçam!

– Que navio é aquele? – insisti.

– Se não sabe, tanto melhor. Pelo menos a sua nacionalidade continuará a ser um segredo para vocês. Desçam! – gritou irado.

Não pudemos fazer nada mais do que obedecê-lo. Mas antes de deixar a plataforma eu ainda fiz um gesto de quem ia falar. Ele me impôs silêncio e usou mais uma vez da palavra

– Eu sou o direito, eu sou a justiça! Sou o oprimido e ali está o opressor! Foi por causa dele que vi morrer tudo que eu amava e venerava: pátria, mulher, filhos, pai e mãe! Tudo o que odeio está ali. Cale-se e desça!

Depois que descemos, percebi que o capitão Nemo iniciara as manobras para atrair sua vítima. Tal como fizera com a fragata Abraham Lincoln, ele fingia fugir para chamar o contedor à posição que fosse melhor para o seu ataque fulminante.

Um ruído bem conhecido indicou-me que a água penetrava nos reservatórios de bordo. Em poucos minutos o Náutilus submergiu e parou poucos metros abaixo da superfície. Compreendi a manobra, mas era impotente para evitar a destruição do navio de guerra. O Náutilus não tencionava atacá-lo na sua impenetrável couraça, mas por baixo da linha de flutuação, onde a carapaça já não protege o casco.

Entretanto, a velocidade do submarino foi aumentada consideravelmente. Todo o seu casco tremia. De repente e sem querer, soltei um grito. Houve um choque relativamente ligeiro. Senti a força penetrante do esporão de aço. Ouvi ruídos de algo que se esgarçava, que se rasgava. O Náutilus, impelido pelo seu poder de propulsão, passara através do casco do navio, como a agulha do marinheiro através do pano! Não pude me conter. Louco, desvairado, saí do quarto e corri para o salão. O capitão Nemo encontrava-se lá. Silencioso, sombrio, implacável, olhando através do painel de bombordo.

Uma massa enorme mergulhava nas águas. Para nada perder da agonia de sua vítima, o submarino acompanhava-a em sua descida aos abismos. A dez metros de distância vi o rombo no casco do couraçado, por onde a água penetrava com o ronco do trovão. Depois vi a linha dupla dos canhões e por fim a coberta, cheia de sombras negras que se agitavam.

A água subia. Os infelizes agarravam-se aos cordames, subiam aos mastros, contorciam-se nas águas. Era um formigueiro humano surpreendido pela invasão do mar!

Paralisado, angustiado, os cabelos em pé, os olhos desmesuradamente abertos, respiração ofegante, sem fôlego e sem voz, eu não queria olhar e olhava sempre! Uma irresistível atração colava-me ao vidro. O enorme navio afundava-se lentamente. O Náutilus seguia-o e espiava seus movimentos. De repente ocorreu uma explosão. O ar comprimido fez voar as cobertas do navio, como se houvesse fogo nos paióis. O movimento das águas foi tal que desviou o Náutilus. Então, o infeliz navio mergulhou mais rapidamente. Os cestos das gáveas apareceram carregados de vítimas, depois foram as travessas vergadas sob o peso de cachos humanos e; finalmente, o cimo do mastro principal. A massa sombria desapareceu e com ela uma tripulação de cadáveres arrastados por um formidável redemoinho... Virei-me para o capitão Nemo. Aquele terrível justiceiro, verdadeiro arcanjo do ódio, continuava a olhar sua obra infernal. Quando tudo acabou, ele se dirigiu para a porta do seu quarto e entrou. Eu o segui com o meu olhar.

Por cima do painel do fundo, e por baixo dos retratos dos seus heróis, vi o retrato de uma mulher ainda jovem e de duas crianças. O capitão Nemo olhou-os por instantes, estendeu-lhes os braços e, ajoelhando-se, rompeu em soluços!

Capítulo 22

As últimas palavras do capitão Nemo

Os painéis fecharam-se sobre aquela horrível visão, mas a luz do salão não foi acesa. No interior do Náutilus reinavam as trevas e o silêncio. O navio deixou aquele local de desolação, trinta metros abaixo da superfície das águas, com uma rapidez prodigiosa. Para onde iria? Para o norte, para o sul? Para onde fugiria aquele homem depois de tão terrível vingança?

Voltei ao meu quarto, onde Ned e Conselho me aguardavam em silêncio. Senti um incontrolável horror pelo capitão Nemo. Fosse o que fosse que tivesse sofrido por causa dos homens, não lhe assistia o direito de os castigar daquela forma. Tinha-me transformado senão em cúmplice, pelo menos em testemunha das suas vinganças! Era demais!

Às onze horas, reapareceu a luz elétrica. Passei ao salão, que estava deserto. Consultei os diversos instrumentos e verifiquei que o Náutilus fugia para o norte a uma velocidade de quarenta quilômetros por hora, ora à superfície, ora a dez metros de profundidade.

Analisando a carta, vi que passávamos a largo da Mancha e nos dirigíamos para os mares boreais quase voando sob as águas.

Aquela velocidade, ainda podia observar os esqualos de focinho comprido, os esqualos-martelo e os cações, que frequentam aquelas águas; as grandes águias-do-mar; os Hipocampos, semelhantes aos cavalos do jogo de xadrez; as enguias, serpenteando como fogos de artifício; exércitos de caranguejos, que fugiam obliquamente, cruzando as patas sobre a carapaça, finalmente bandos de lobos-do-mar que competiam em velocidade com o Náutilus. Mas estudá-los, classificá-los, nem pensar nisso.

À noite, já tínhamos percorrido quase mil quilômetros do Atlântico. Fez-se escuro e o mar foi invadido pelas trevas até o aparecimento da lua. Voltei ao meu quarto, mas não consegui dormir. Tive pesadelos. A horrível cena da destruição repetia-se no meu espírito. Quem poderia nos dizer até onde nos levava o Náutilus na bacia do Atlântico Norte? Sempre a grande velocidade, sempre no meio das brumas hiperbóreas. Teria tocado as extremidades de Sptizberg, nas costas da Nova Zelândia? Teria percorrido os mares ignorados, o mar Branco, o mar de Kara, o holfo de Obi, o arquipélago Larrov e as praias desconhecidas da costa asiática? Não sabia. Já não sabia calcular o tempo que ia passando. Os relógios de bordo tinham sido parados. Parecia que a noite e o dia, como nas regiões polares, não seguiam o seu curso normal. Sentia-me arrastado para o domínio do estranho, onde a imaginação famosa de Edgar Poe se movia tão à vontade. A cada instante, esperava ver como o fabuloso Gordon Pym, "esse rosto humano velado, de proporções mais avantajadas do que as de qualquer habitante da terra, à espreita da catarata que protege as proximidades do polo".

Calculo, mas talvez me engane, que aquela corrida aventurosa do Náutilus se prolongou por quinze ou vinte dias e não sei por quanto tempo continuaria se não fosse a catástrofe que lhe pôs fim. O capitão Nemo desaparecera. O imediato também. Não se via um único homem da tripulação. O Náutilus navegava quase sempre sob as águas. Quando subia à superfície para renovar o ar, os alçapões abriam-se e fechavam-se automaticamente. Já não faziam o ponto e eu não sabia onde estávamos.

O canadense, esgotado de forças e paciência, também deixara de aparecer. Conselho não conseguia arrancar-lhe uma palavra e receava que, num acesso de delírio e dominado por uma terrível nostalgia, ele se suicidasse. Vigiava-o, portanto, com toda a devoção.

Compreende-se que, nessas condições, a situação era insustentável. Uma manhã, não sei de que dia, em que tinha adormecido às primeiras horas da madrugada, um sono penoso e doentio, ao acordar Ned Land estava debruçado sobre mim, dizendo-me em voz baixa:

– Vamos fugir!

Eu me levantei.

– Quando? – perguntei.

– Logo à noite! Toda a vigilância parece ter desaparecido a bordo do Náutilus. Dir-se-ia que reina uma assombração a bordo. Está pronto?

– Sim. Onde estamos?

– A vista de terra que distingui esta manhã através das brumas, trinta quilômetros para leste.

– Que terras são?

– Ignoro-o, mas sejam quais forem, vamos fugir para lá.

– Sim, Ned. Fugiremos esta noite, ainda que o mar nos engula!

– O mar está mau e o vento forte, mas percorrer trinta quilômetros no bote do Náutilus não me assusta. Transportaremos alimentos e algumas garrafas de água sem que a tripulação perceba.

– Eu o seguirei.

– Se for descoberto, defendo-me e deixo que me matem.

– Morreremos juntos, amigo Ned.

Estávamos decididos a tudo. O canadense saiu. Subi à plataforma, onde mal me mantinha de pé devido ao ímpeto das ondas. O céu estava ameaçador, mas uma vez que estávamos à vista de terra devíamos fugir. Não podíamos perder um dia, uma hora. Voltei ao salão, ao mesmo tempo receando e desejando encontrar o capitão Nemo. Que lhe diria? Conseguiria disfarçar o horror involuntário que me inspirava? Não! Era melhor não me encontrar com ele! Era melhor esquecê-lo!

E no entanto, como foi longo aquele dia, o último que passaria a bordo do Náutilus! Fiquei só. Ned Land e Conselho evitavam falar-me com receio de se traírem.

Às seis horas, jantei. Embora não tivesse fome, forcei a ingestão dos alimentos para não enfraquecer.

Às seis horas e meia, Ned Land entrou no quarto e me avisou:

– Não nos veremos antes da partida. Às dez horas a lua ainda não terá surgido. Aproveitaremos a obscuridade. Vá até o bote. Conselho e eu esperaremos lá pelo senhor.

Depois o canadense saiu, sem me ter dado tempo de lhe responder. A nossa sorte estava decidida.

Quis verificar a direção do Náutilus e, por isso fui ao salão. Avançávamos para nor-noroeste, à grande velocidade, a cinquenta metros de profundidade,

Olhei pela última vez aquelas maravilhas da natureza, aquelas riquezas da arte encerradas no museu, aquela coleção sem rival, destinada a desaparecer um dia no fundo dos mares com aqueles que as tinham reunido. Quis fixar no meu espírito uma derradeira recordação. Estive assim uma hora, banhado nos eflúvios do teto luminoso e passando em revista os tesouros resplandecentes das vitrinas. Depois voltei ao meu quarto.

Vesti roupas próprias para enfrentar o mar. Juntei os meus apontamentos e apertei-os preciosamente contra o corpo. O coração batia-me com força. Não conseguia dominar as pulsações. A minha perturbação e agitação teriam certamente me traído aos olhos do capitão Nemo. Que estaria fazendo? Pus-me à escuta na porta do seu quarto. Ouvi um ruído de passos. O capitão Nemo estava lá dentro. Não se tinha deitado. Pensei que ele ia aparecer e perguntar-me por que íamos fugir! Sentia terríveis sobressaltos e a imaginação agravava-os. Esta sensação tornou-se tão aguda que eu me interrogava se não seria preferível entrar no quarto do capitão, vê-lo cara a cara, e enfrentá-lo olhos nos olhos. Era uma ideia de louco. Felizmente, contive-me e estendi-me na cama para acalmar a agitação que me devorava. Os nervos serenaram um pouco, mas o cérebro, superexcitado, passou em revista toda a minha existência, a bordo do Náutilus, todos os incidentes felizes e infelizes, as caças submarinas, o estreito de Torres, os selvagens da Papuásia, o encalhe, o cemitério de coral, a passagem de Suez, a ilha Santoria, o mergulhador cretense, a baía de Vigo, a Atlântida, o banco de gelo, o polo Sul, a clausura nos glaciares, o combate com os polvos, a tempestade no golfo, o Vingador e, finalmente, a horrível cena do navio afundado com toda a tripulação! Todos esses acontecimentos me passaram diante dos olhos, como cenários de um teatro. Então, o capitão Nemo crescia desmesuradamente neste meio estranho. A sua figura acentuava-se e assumia proporções sobrenaturais. Já não era um semelhante, mas um homem das águas, um gênio dos mares. Eram então nove horas e meia. Eu segurava a cabeça com as duas mãos para impedir que ela rebentasse. Fechei os olhos. Não queria pensar mais. Ainda meia hora de espera! Meia hora de um pesadelo que quase me tornava louco!

Naquele momento, ouvi os vagos acordes do órgão. Uma melodia triste e um canto indefinido, verdadeiros queixumes de uma alma que deseja quebrar os seus elos terrestres. Escutava com toda a atenção, mal respirando, mergulhado como o capitão Nemo naqueles êxtases musicais que o transportavam para além dos limites deste mundo. De repente, fiquei aterrorizado com um pensamento. O capitão Nemo tinha saído do quarto e estava no salão por onde eu tinha de passar para fugir. Teria de o encontrar uma última vez. Talvez não me visse!

Talvez não me falasse! Um só gesto dele podia destruir-me. Entretanto, eram quase dez horas. Chegara o momento de deixar o quarto e juntar-me aos meus companheiros.

Não havia que hesitar, ainda que o capitão se dirigisse a mim. Abri a porta com precaução. Pareceu-me que ao rodar nos gonzos fazia um ruído terrível. Talvez aquele barulho só existisse na minha imaginação! Avancei, deslizando pelos corredores do Náutilus, parando a cada passo para comprimir os batimentos do meu coração.

Cheguei à porta angular do salão, que abri com suavidade. Estava tudo mergulhado numa profunda obscuridade e os acordes do órgão ressoavam fracos. O capitão Nemo estava lá, mas não me via. Julgo até que em plena luz não me teria visto. Estava extasiado com a música. Arrastei-me sobre o tapete, evitando o mínimo ruído que pudesse trair a minha presença. Demorei cinco minutos a chegar à porta que dava para a biblioteca.

Ia abri-la, quando um suspiro do capitão Nemo me pregou ao chão. Percebia que se levantava. Cheguei até a vê-lo, por alguns clarões da biblioteca iluminada que se filtravam para o salão. Dirigiu-se para mim, de braços cruzados, silencioso, deslizando como um espectro. Soluçava. Ouvi-o murmurar estas palavras, as últimas que o ouvi pronunciar.

– Deus todo-poderoso! Basta! Basta!

Seria a confissão do remorso que escapava assim da consciência daquele homem?

Desnorteado, precipitei-me para a biblioteca, depois subi a escada central e, seguindo o corredor superior, cheguei ao bote, entrando nele pela abertura que já tinha dado passagem aos meus dois companheiros.

– Partamos! Partamos! – gritei.

– Imediatamente! – respondeu o canadense.

O orifício cavado no casco do Náutilus foi previamente fechado e atarraxado por meio de uma chave inglesa de que Ned Land se tinha munido. A abertura do bote fechou-se também e o canadense começou a desapertar as porcas que nos prendiam ainda ao submarino. De repente, ouviu-se um ruído no interior do navio. Eram vozes que se respondiam. Que seria? Teriam descoberto a nossa fuga? Senti que Ned Land me passava um punhal para a mão.

– Sim! – murmurei. – Saberemos morrer!

O canadense tinha suspendido o trabalho. Mas uma palavra vinte vezes repetida, uma palavra terrível, revelou-me a causa daquela agitação que reinava a bordo do Náutilus. Não era a nós que a tripulação se referia.

– "Maelstrom! Maelstrom"! – gritavam.

O "maelstrom"! Nome mais horrível não podia ter sido pronunciado na situação em que nos encontrávamos. Estávamos, portanto, nas perigosas paragens da costa norueguesa. O Náutilus ia ser arrastado para aquele abismo no momento em que o nosso bote se ia desprender do seu casco.

Sabe-se que, no momento do fluxo, as águas encerradas entre as ilhas Feroe e Loffoden são precipitadas com irresistível violência, formando um turbilhão de que nunca nenhum navio conseguiu escapar. De todos os pontos do horizonte acorrem vagas monstruosas e formam um redemoinho precisamente chamado *Umbigo do Oceano*, cujo poder de atração se estende a uma distância de quinze quilômetros. São então aspirados, não só navios como baleias e ursos brancos das regiões boreais. Era para ali que o Náutilus, voluntária ou involuntariamente, tinha sido conduzido pelo seu capitão. Descrevia uma espiral cujo raio diminuía cada vez mais. Tal como ele, o bote, ainda preso no casco, era levado com uma velocidade vertiginosa. Sentia-o. Experimentava aquele estonteamento relativo que sucede a um movimento giratório demasiado prolongado. Estávamos em pânico, completamente horrorizados, com a respiração suspensa, paralisados, percorridos por suores frios como os da agonia. E que barulho à nossa volta! Que rugidos, repetidos pelo eco a uma distância de muitos quilômetros! Que ruído faziam as águas atiradas contra as rochas pontiagudas do fundo, onde até os corpos mais duros se quebram, onde os troncos das árvores se destroem e fazem "uma manta de pelos", segundo a expressão norueguesa. Que situação! Éramos furiosamente fustigados! O Náutilus defendia-se como um ser humano. Os seus músculos de aço estalavam. Por vezes erguia-se e nos levava com ele.

– Temos de nos aguentar – disse Ned – e tornar a parafusar as porcas!

Só continuando presos ao Náutilus poderemos ainda nos salvar. Mal tinha acabado de falar, ouviu-se um estalido e o bote, arrancado do seu alvéolo, era lançado como a pedra de uma funda no meio do turbilhão.

Bati com a cabeça num ferro e, devido ao violento choque, perdi os sentidos.

Conclusão

Eis a conclusão desta viagem submarina. O que se passou durante aquela noite, como o bote escapou do terrível redemoinho do *maelstrom*, como Ned Land, Conselho e eu saímos do formidável turbilhão, não sei. Mas quando recuperei os sentidos, estava deitado na cabana de um pescador das ilhas de Loffoden. Os meus dois companheiros, são e salvos, estavam junto de mim e davam-me as mãos.

Abraçamo-nos com efusão.

Naquele momento, não podíamos pensar em voltar imediatamente à França, porque os meios de comunicação entre a Noruega Setentrional e o sul eram raros. Fui, portanto, forçado a esperar a passagem de um barco a vapor que faz uma carreira duas vezes por mês do cabo Norte.

É, portanto, no meio da boa gente que nos acolheu que revejo o relato das minhas aventuras. É exato. Não foi omitido um único fato, não foi exagerado um único pormenor. É a narração fiel desta inverossímil expedição num elemento inacessível ao homem, mas que o progresso transformará um dia em vida livre.

Acreditarão em mim? Não sei. Mas pouco importa. O que posso afirmar agora é o meu direito de falar dos mares, sob os quais em menos de dez meses, percorri vinte mil léguas (cento e onze mil quilômetros) numa volta ao mundo submarino que me revelou tantas maravilhas através do Pacífico, do Índico, do Mar Vermelho, do Mar Mediterrâneo, do Atlântico e dos mares austrais e boreais!

Que teria acontecido ao Náutilus? Teria resistido às garras do *maelstrom*? Estaria o capitão Nemo ainda vivo? Continuaria as suas terríveis represálias sob o oceano ou teria parado diante daquela última hecatombe? Será que as águas transportarão um dia para a terra o manuscrito que encerra a história da sua vida? Saberei algum dia o nome daquele homem? Através da nacionalidade do navio desaparecido, seria possível descobrir a nacionalidade do capitão Nemo? Assim o espero. Espero também que o seu potente navio tenha vencido o mar na sua fúria mais terrível e que o Náutilus tenha sobrevivido onde tantos outros navios pereceram! Se assim for, se o capitão Nemo continua a habitar o oceano, sua pátria adotiva, oxalá o ódio se acalme naquele coração feroz! Que a contemplação de tantas maravilhas lhe extinga o desejo de vingança! Que se apague o justiceiro e que o sábio continue a pacífica exploração dos mares! Se o seu destino é estranho, também é sublime. Não o compreendi por mim mesmo? Não vivi dez meses dessa existência sobrenatural?

Assim, à pergunta feita há seis mil anos pelo Eclesiastes:

"Quem jamais pode sondar as profundezas do abismo?" Apenas dois homens, entre todos, têm o direito de responder: o capitão Nemo e eu.